Tur

Short Stories

intermediate

B1

FOXTON'S TURKISH GRADED READERS
INTERMEDIATE TURKISH SHORT STORIES (B1)

First published 2023
by Foxton Books
London, UK

ISBN: 978-1-83925-120-7

Series Editor and Concept: Yusuf Buz
Story Text: Ayça Sığırcı
Quizzes: Yusuf Buz
Illustrator: Merve Oztemel
Contributor: Suzan Buz

ACKNOWLEDGEMENTS
Images designed by Freepik.

Other titles in the Turkish category:

A1

A1-A2

A1-B1

www.foxtonbooks.co.uk

Contents

Introduction

Foxton's Turkish Graded Readers are a series of carefully graded books aimed at Turkish learners of beginner to advanced levels. They are based on a comprehensive grammar and vocabulary framework to match each ability level and to ensure each learner progresses. These readers come with beautiful illustrations to help readers gain a better understanding of the story and make books more fun and easier to read. There is also a QR code on the front cover that gives instant and free access to the full audio recording of the stories.

Intermediate Turkish Short Stories (B1) is the third book in the series. It is divided into 5 chapters, which include stories based on real-life situations such as camping, holiday, job application and a train journey in order to help you understand and learn more Turkish vocabulary and phrases.

In order to test and consolidate readers' understanding, grammar and vocabulary skills, we have included comprehension, grammar and vocabulary quizzes at the end of each story.

Each level of readers has a limited number of headwords as demonstrated on the table on the back cover. Words that are essential to the understanding of the story are given at the bottom of the page with their meaning in English. Some words are supported with pictures to aid memory retention. There is also a complete dictionary at the back of the book.

This reader is perfectly aligned with our bestselling book of *Turkish Grammar in Practice*. This B1 reader will be best understood when you cover the units in the *Turkish Grammar in Practice* book.

For further details, please visit turkishgrammarinpractice.com.

1

Büyük Sürpriz

Derya ve Emre Hakkında

Derya bir öykü yazarıdır. Çocuklar için öyküler yazar. Bu öykülerde neşe, macera ve heyecan vardır. Ayrıca çocukluk anılarını ve hayallerini paylaşır. Çocuklar ve ebeveynler, bu öykü kitaplarını zevkle okurlar. Arkadaş canlısı, sevecen ve neşeli bir insandır. Her zaman çok kitap okur. Fantastik edebiyatı ve aşk romanlarını çok sever. Kalan zamanlarında pastacılık ve bahçıvanlık yapar. Pastaları çok lezzetlidir. Yiyen herkes çok beğenir. Çikolatalı ve böğürtlenli pasta onun favorisidir. Tüm malzemeleri özenle seçer ve doğal malzemeler kullanır. Yaptığı pastalara özgün isimler koyar. Günışığı, dağ çiçeği, gülen elma, gizli hazine bu isimlerden bazılarıdır. Ayrıca çiçekleri ve bitkileri çok sever. Her gün bahçesine bakım yapar.

Emre, bir lisede matematik öğretmenidir. Öğrencilerini ve yeni bilgiler öğretmeyi çok sever. Çok çalışkan bir insandır. Hobileri arıcılık, marangozluk ve klasik gitar çalmaktır. Arıcılığı çok severek yapar. Çünkü arılar doğa için çok önemlidir ve bal çok faydalı bir besindir. Ayrıca hobi atölyesinde tahta masa, raf ve sehpa gibi eşyalar üretir.

Vocabulary

marangozluk
carpentry

arıcılık
beekeeping

çikolatalı ve böğürtlenli past
chocolate and blackberry cake

Derya bir öykü yazarıdır. Emre, bir lisede matematik öğretmenidir. Klasik gitar çalmayı çok sever.

---

anılar memories
arkadaş canlısı friendly
arıcılık beekeeping
bahçıvanlık gardening
bakım yapmak to maintain
besin food, nutrition
çocukluk childhood
doğa nature
ebeveyn parents
eşya things, stuff
faydalı beneficial
hayaller dreams
hobi atölyesi hobby studio
macera adventure
neşe joy
neşeli joyful, cheerful
önemli important
öykü yazarı story writer
özenle carefully
özgün unique, original
raf shelf
sehpa coffee table
sevecen amicable
tahta wood, wooden
zevkle with joy

Derya ve Emre, doğayı ve doğa sporlarını çok severler. En çok yaptıkları spor bisiklete binmek, doğa yürüyüşü ve tüplü dalıştır. Derya ve Emre, dokuz yıl önce tanıştılar ve evlendiler. Şimdi Emre, Derya'ya bir sürpriz yapmak istiyor. Bunun için bir liste hazırladı. Biraz düşündü. Kendi kendine, "En güzel hediye karavan. Çünkü ikimiz de doğayı ve seyahat etmeyi çok seviyoruz. Birlikte sık sık gezebiliriz ve yeni yerler keşfederiz." dedi.

Liste:

- elbise
- özel bir ağaç fidanı
- pasta malzemeleri
- yeni bir araba
- tatil programı
- ✓ karavan

Büyük Sürpriz

Emre ve Derya, hafta sonu piknik yapmaya karar verdiler. Beraber hazırlık yapmaya başladılar. Sandviçler, meyveler, salata ve daha birçok şeyi piknik sepetine koydular. Bu sırada Emre yanına geldi ve Derya'ya yardım etti. Bahçeden marul ve maydanoz topladı. Sonra, "Hayatım, senin için bir sürprizim var. Hazır mısın?" dedi. Derya, "Sürpriz mi? Sürprizleri çok severim!" diye cevap verdi. Emre, Derya'dan gözlerini kapatmasını istedi. Birlikte kapıya doğru yürüdüler.

Emre kapıyı açtı. Derya, bahçedeki karavanı gördü. Derya heyecanla, "Bu karavan bizim mi?" diye sordu. Emre, "Evet, bizim." dedi. Derya, çok sevindi ve Emre'ye sarıldı, teşekkür etti.

Vocabulary

doğa yürüyüşü
nature walk

bisiklete binmek
to ride a bicycle

tüplü dalış
scuba diving

Beraber hazırlık yapmaya başladılar. Sandviçler, meyveler, salata ve daha birçok şeyi piknik sepetine koydular.

---

beraber together
birikte together
cevap vermek to reply
doğa sporları nature sports
doğa yürüyüşü nature walk
evlenmek to marry
fidan sapling , shoot
gezmek to travel, to visit
hediye present
heyecanla excitedly
keşfetmek discover
marul lettuce
maydanoz parsley
pasta malzemeleri cake ingredients
karar vermek to decide
piknik sepeti picnic basket
sarılmak to hug
seyahat etmek to travel
sık sık often
tanışmak to meet
tüplü dalış scuba diving

Derya karavanı çok beğendi. İçinde yatak odası, oturma odası, mutfak ve banyo vardı. Hepsi küçük ve çok şıktı. Emre'nin hazırladığı sürprizler daha bitmedi. Bavulu gösterdi ve "Kamp alanına gidebiliriz ve bir gece kalabiliriz." dedi.

Neşeyle yola çıktılar. Derya ve Emre çok heyecanlıydı. Derya, "Bu karavanla tüm dünyayı gezebiliriz ve birçok yer keşfedebiliriz." dedi. Saat çok ilerledi ve hava karardı. Onlar ormanlık alana doğru ilerlediler. Şehirden çok uzaktalardı ve cep telefonları çekmedi. Bu sebeple GPS çalışmadı. Emre araç içi çekmecesini açtı. Çekmecenin içinde harita yoktu. Bir yol ayrımına geldiler. İki seçenek vardı: Ya sağdaki yol ya da soldaki yol. Hangi yolu seçeceklerdi? Emre, "Bence soldaki yolu seçelim." dedi. Derya bu teklifi kabul etti. Biraz daha gittiler ve yol bitti. Emre, "Hayatım, ne yapalım? İstersen eve geri dönebiliriz ya da burada kalabiliriz." dedi. Derya düşündü, karavan güvenli ve rahattı. Hava çok güzeldi. "Ben burada kalmak istiyorum." diye cevap verdi.

Karavandan indiler. Yere örtü serdiler ve iki tane minder koydular. Çalı çırpı topladılar. Daha sonra ateş yaktılar. Gece yıldızların altında oturmak çok keyifliydi. Emre gitar çaldı. Derya şarkı söyledi. Bu romantik gecede, yıldızların altında şarkı söylemek harikaydı.

Vocabulary

bavul
suitcase

dünya
world

oturma odası
living room

Bir yol ayrımına geldiler. İki seçenek vardı: Ya sağdaki yol ya da soldaki yol. Hangi yolu seçeceklerdi?

---

ateş yakmak to make a fire
bavul suitcase
bu sebeple for this reason, so
(telefon) çekmek to have (phone) reception
dünya world
güvenli safe
Hava karardı. It got dark.
ilerlemek to keep going
kabul etmek to accept
kamp alanı camping site
keyifli pleasant, cheerful
keşfetmek to discover
minder floor cushion
ormanlık alan woodland
rahat comfortable
Saat çok ilerledi. Time has passed/ got on
seçenek option
teklif suggestion, idea
tüm all, entire
yol ayrımı crossroads
yola çıkmak to set off (on a journey)
çalı çırpı brushwood
örtü sermek to lay e.g. a tablecloth, a rug

Bu sırada bir ses duydular. Sağa ve sola baktılar. Derya bir çift göz fark etti ve çok korktu. Emre'ye, "Sen de gördün mü?" diye sordu. Emre de gözleri gördü. "Ormanda tilki, domuz ve ayı gibi hayvanlar yaşar. Bu hayvanlar aç ve tehlikeli olabilir. Hemen karavana girelim." dedi. Karavana doğru koştular. İçeri girdiler ve pencereden dışarı baktılar. Ama hiçbir hayvan göremediler. Doğal yaşam hakkında sohbet ettiler. Emre hayvanlar hakkında birçok şey anlattı. Karavanda kalan yiyeceklerini yediler.

Biraz sonra Derya dışarı baktı. Bir tilki ve bir sincap gördü. Derya, "Emre dışarı bak. Tilki ve sincap, bizden kalan yiyecekleri yiyor." dedi. Tilki ve sincap çok hızlı hareket ediyorlardı. Onlar çok sevimliydi. Derya, "Onları sevmek isterim ama benden kaçarlar." dedi. Hayvanlar korkmasın diye ışığı kapattılar.

Ertesi gün

Sabah olduğunda erkenden uyandılar. Hava çok güzeldi. Birlikte yola çıktılar. Yaklaşık bir saat manzarayı seyrettiler. Tam ana yola çıkacakları sırada bir sarsıntı oldu. İkisi de arabadan indi. Arabayı kontrol ettiler. Emre, "Sağ ön tekerlek patladı. Yardım edecek bir kişi bulmalıyız." dedi.

Vocabulary

tilki
fox

domuz
pig

ayı
bear

Derya, "Emre dışarı bak. Tilki ve sincap, bizden kalan yiyecekleri yiyor." dedi.

---

ana yol main road
ayı bear
birlikte together
bu sırada in the meantime
çift couple
domuz pig
doğal yaşam natural life
erkenden early
fark etmek to notice
hareket etmek to move
hızlı fast
ışık light
kaçmak to escape
kişi person, someone
patlamak to burst, to blow out
sarsıntı quake, shake
sevimli cute, nice
sincap squirrel
sohbet etmek to converse
tehlikeli dangerous
tekerlek tyre
tilki fox
uyanmak to wake up
yiyecek food

Onlar için şanslı bir gündü. Motosikletli bir genç yanlarına geldi. "Merhaba! Ben Burak. Yardım edebilir miyim?" diye sordu. Emre, "Merhaba. Ben Emre ve eşim Derya. Lastiğimiz patladı." dedi. Burak, "Sorun değil, yardım çağırabiliriz. Ancak önce ofisime gitmeliyiz." diye cevap verdi. Ofisinin yerini tarif etti: "Beş yüz metre yürüyün, büyük beyaz bir ev göreceksiniz. Beyaz evin yanından sağa dönün. Üç yüz metre yürüyün, soldaki mavi bina. Ben motosikletle önden gideceğim." dedi. Önce Burak, arkasından Derya ve Emre ofise gittiler. Ofiste güzel, sade mobilyalar ve büyük bir kitaplık vardı. Derya kitapları inceledi. Kitaplıkta dil ve gramer, gezi, ekoloji, kişisel gelişim hakkında birçok kitap vardı. Burak onlara çay ve kurabiye ikram etti.

Çağrı merkezini aradılar ve yardım istediler. Görevli, üç saat sonra yardım edebileceğini söyledi. Sırada başka arabalar vardı. Derya ve Emre'nin canı çok sıkıldı. Burak, "Üzülmeyin. Ben turist rehberiyim. Yüz elli metre uzaklıkta bir müze var. Müzeyi ziyaret etmek ister misiniz?" diye sordu. Derya ve Emre, bu teklife çok sevindi. Derya gülümsedi ve "Müze gezmeyi kim istemez?" dedi.

Vocabulary

lastik
tyre

kurabiye
cookies

çağrı merkezi
call centre

"Merhaba! Ben Burak. Yardım edebilir miyim?" diye sordu.
Emre, "Merhaba. Ben Emre ve eşim Derya. Lastiğimiz patladı." dedi.

---

bina building
bir genç a young person
çağrı merkezi call centre
dil language
gezi travel
görevli the person in charge, employee
ikram etmek to offer
incelemek to look through
kitaplık bookcase
kişisel gelişim personal development
kurabiye cookies
lastik tyre
mobilya furniture
önden gitmek to go ahead
sade plain, simple
sevinmek to be happy
sırada in the queue
şanslı lucky
tarif etmek to describe
teklif suggestion, idea
turist rehberi tourist guide
Üzülmeyin. Don't worry.
yardım istemek to ask for help
ziyaret etmek to visit

Tarihe yolculuk

Açık hava müzesine gittiler. Müzede büyük bir antik tiyatro, muhteşem heykeller, sütunlar, antik hamam ve güneş saati vardı. Emre, "Çok büyük bir uygarlık." dedi. Antik tiyatroda Derya'ya, Burak'a ve oradaki diğer turistlere küçük bir konser verdi. Bir arya söyledi. Herkes onu alkışladı. O da selam verdi. Çok eğlendiler. Burak, büyük binayı gösterdi. "Gezimiz daha bitmedi." dedi. Hep birlikte müze binasına gittiler.

Burak, eski çağ uygarlığı hakkında bilgiler anlatmaya başladı. "Çok eski zamanlarda, bu şehir ticaret merkeziydi. İnsanlar en çok marangozluk ve halıcılık yapardı. Ahşap ve heykel yapımında uzmandılar. Halılar, İpek Yolu'nda çok ünlüydü. İpek Yolu, Avrupa ve Çin arasındaki dünyaca ünlü ticaret yoluydu. Çinli tüccarlar, bu halıları almak için eşsiz ipek kaftanlar verirdi. Tüccarlar, filozoflar, şairler, sanatçılar ve rahipler burada yaşardı. Bu şehrin insanları müziği çok severdi. Ozanlar, sokaklarda *lir* ve *flüt* gibi enstrümanlar çalarak destanlar anlatırdı." dedi. Emre ve Derya, müzedeki eşyaları incelediler. Bakır ve seramikten mutfak eşyaları, kilim tezgahı, mobilyalar ve daha birçok eşya vardı. Derya, giysileri ve takıları inceledi. Derya, "Hepsi çok güzel ve büyüleyici." dedi. Emre, "Buzdolabı yokken yiyecekler nasıl saklanırdı?" diye sordu.

Vocabulary

antik tiyatro
ancient theatre

sütunlar
columns, pillars

kilim tezgahı
rug loom

Burak, eski çağ uygarlığı hakkında bilgiler anlatmaya başladı.

---

ahşap wood, wooden
alkışlamak to applaud
arya aria
açık hava müzesi open-air museum
bilgi information
eski çağ ancient
eski zamanlarda in ancient times
eğlenmek to enjoy oneself
güneş saati sundial
halıcılık carpet business
hamam bath
heykel statue
konser vermek to give a concert
marangozluk carpentry
sütunlar columns, pillars
şair poet
tarih history
ticaret merkezi trade centre
ticaret yolu trade route
tüccar merchant
uygarlık civilisation
uzman expert
ünlü famous
yolculuk journey

Burak, "Şuradaki büyük ve ayaklı kavanozları görüyor musun? Onlar bal kavanozu. Yiyecekler balın içine konurdu. Böylece birkaç ay saklanabilirdi." dedi. Emre, arılar ve bal hakkında yeni bir bilgi öğrendi ve çok mutlu oldu. Müzede hayranlıkla gezmeye devam ettiler. Burak saatine baktı. Burak, "Üç saat bitti. Artık gidebiliriz." dedi.

Karavanın yanına gittiler ve tamirci geldi. Yanında alet çantası ve yeni bir lastik vardı. Tamirci lastiği değiştirdi. Derya ve Emre, ona teşekkür ettiler. Tamirci gitti. Derya, "Artık yola çıkabiliriz. Burak, çok teşekkür ederim. Çok güzel bir gün oldu. Seni evimizde misafir etmek isteriz." dedi. Burak, "Ben de gelmek isterim. Tanıştığımıza memnun oldum." diye cevap verdi. Derya ve Emre, yola çıktılar.

Gece olunca eve vardılar. Karavanı evin önüne park ettiler. Komşuları Hicran, bahçeye çıktı ve bahçesini sulamaya başladı. Köpekleri Sumak ve komşuları Hicran onları gördüğünde çok sevindi. Komşuları ile sohbet ettiler ve eve girdiler. O gece ikisi de güzel bir uyku uyudu ve yeni maceralar için hayal kurdular. Tabii ki karavanları ile...

Vocabulary

bal kavanozu
a jar of honey

arı
bee

alet çantası / alet kutusu
tool bag / toolbox

Gece olunca eve vardılar. Karavanı evin önüne park ettiler. Komşuları Hicran, bahçeye çıktı ve bahçesini sulamaya başladı.

---

alet çantası tool bag/toolbox
bahçe garden
bal honey
bilgi information
böylece so
değiştirmek to change
güzel bir uyku uyumak to have a good sleep
hayal kurmak to imagine
hayranlıkla with admiration
kavanoz jar
komşu neighbour
macera adventure
misafir etmek to put somebody up
park etmek to park
sevinmek to become happy
sohbet etmek to converse
sulamak to water, to irrigate
tamirci mechanic, repairman
uyku sleep
varmak to arrive
yola çıkmak to set off, to start a journey

Comprehension Quiz

Quiz 1 Answer the following questions.

1. Derya ne iş yapar?
2. Derya ne tür romanları sever?
3. Emre ne iş yapar?
4. Emre'nin hobileri nelerdir?
5. Derya ve Emre en çok hangi sporları yaparlar?
6. Emre'nin sürprizi neydi?
7. Gece kampta kim gitar çaldı?
8. Karavanda kalan yiyecekleri hangi hayvanlar yedi?
9. Derya ve Emre'ye kim yardım etti?
10. Emre nerede küçük bir konser verdi?

Quiz 2 Choose the correct answer.

1. Kim boş zamanlarında pastacılık ve bahçıvanlık yapar?
   A) Burak B) Emre C) Derya
2. Emre ne öğretmenidir?
   A) Matematik B) Fizik C) Türkçe
3. Derya ve Emre, kaç yıl önce evlendiler?
   A) 3 yıl önce
   B) 9 yıl önce
   C) 1 yıl önce
4. Emre bahçeden ne topladı?
   A) nane B) soğan C) marul ve maydanoz
5. Emre'nin sürprizi aşağıdakilerden hangisidir?
   A) karavan B) pasta C) piknik sepeti

Grammar Quiz

Quiz 1 Choose the correct answer.

1. Emre, yol ayrımına ________ sol yolu seçti.
   A) geldiğinde B) geliyor C) gelen
2. Az önce Ali'yle görüştüm ve senden ________.
   A) bahsediyorum B) bahsettim C) bahsederim
3. Büşra, arkadaşına ders ________.gitti.
   A) çalışmak
   B) çalışmayı
   C) çalışmaya
4. Sabah ________ yola çıkmak istiyorum. Uykusuz araba kullanmak istemiyorum.
   A) olur
   B) olunca
   C) olacak
5. Parti ________ herkes evine gitti.
   A) bitince B) bitti C) bitiyor

Quiz 2 Unjumble the following sentences.

1. evin / karavanı / park / önüne / ettiler

   ____.

2. istediler / ve / çağrı / yardım / merkezini / aradılar

   ____.

3. ikram / çay / ve / bize / komşu / pasta / etti

   ____.

Vocabulary Quiz

Quiz 1 Write the words for the pictures.

1 

2 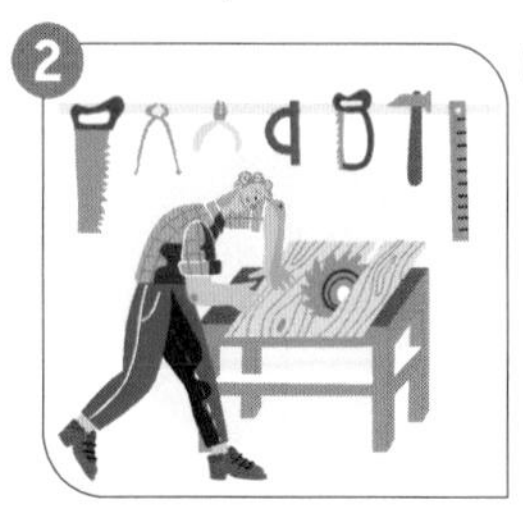

3 

a ______ m ______ b ______

Quiz 2 Match the words on the left with their collocations on the right.

1. öykü	gitar	______
2. doğa	alanı	______
3. klasik	yazarı	______
4. kamp	rehberi	*turist rehberi*
5. turist	yürüyüşü	______

Quiz 3 Complete the sentences with the words below.

patladı doğa mağazasına bal ikram çekmiyor

1. Şimdi cep telefonum iyi ______. Seni sonra arayacağım.
2. Lastikçiye gidiyorum. Arabamın tekeri ______ .
3. Bu sabah komşuma gittim. Bana kurabiye ______ etti.
4. Annem ve ablam bir mobilya ______ gittiler. Yeni bir oturma takımı alacaklar.
5. Kavanozda biraz ______ var. Yemek ister misin?
6. Ben ve arkadaşım bu pazar ______ yürüyüşü yapacağız.

Quiz 4 Complete the sentences with the words below.

yaktık	serdiler	programı	hazırlık	kamp	takıları	sohbet

1. Esra arkadaşıyla telefonda ________ etti.
2. Kız kardeşim ________ çok seviyor. Ona bir kolye aldım.
3. Gece bahçede ateş ________ ve etrafında oturduk. Çok keyifli bir geceydi.
4. Yere bir örtü ________ ve üzerine yiyecekleri koydular.
5. Yarın öğleden sonra ________ alanına varacağız.
6. Fırat şimdi yolculuk için ________ yapıyor.
7. Babam bizim için çok güzel bir tatil ________ yaptı.

Quiz 5 Choose the correct answer.

1. ________ arabanın lastiğini tamir etti.
   A) Arıcı B) Marangoz C) Tamirci
2. Ben ________ sporlarını çok severim.
   A) kişisel B) doğa C) manzara
3. Derya, pasta için malzemeleri ________ seçti ve harika bir pasta yaptı.
   A) özenle B) dikkatsizce C) öfkeyle
4. Emre küçük bir konser verdi ve herkes onu ________ dinledi.
   A) hızlıca B) yavaşça C) hayranlıkla
5. Sezen Aksu, bu akşam ________ tiyatroda konser veriyor.
   A) manzara B) antik C) heykel
6. Annem yemeklerde ________ malzemeler kullanır.
   A) doğal B) neşeli C) sevecen
7. Kenan çok ________ bir insandır. Herkes onu çok sever.
   A) üzgün B) sevecen C) sıkıcı

Cevap Anahtarı (Answer Key)

Comprehension Quiz

Quiz 1

1. Derya ne iş yapar?
   Derya bir öykü yazarıdır. / Çocuklar için öyküler yazar.
2. Derya ne tür romanları sever?
   Fantastik edebiyatı ve aşk romanlarını çok sever.
3. Emre ne iş yapar?
   Emre, bir lisede matematik öğretmenidir.
4. Emre'nin hobileri nelerdir?
   Emre'nin hobileri arıcılık, marangozluk ve klasik gitar çalmaktır.
5. Derya ve Emre en çok hangi sporları yaparlar?
   Bisiklete binmek, doğa yürüyüşü ve tüplü dalış
6. Emre'nin sürprizi neydi?
   Emre'nin sürprizi bir karavandı.
7. Gece kampta kim gitar çaldı?
   Emre
8. Karavanda kalan yiyecekleri hangi hayvanlar yedi?
   Tilki ve sincap
9. Derya ve Emre'ye kim yardım etti?
   Burak
10. Emre nerede küçük bir konser verdi?
    Antik tiyatroda/Açık hava müzesinde

Quiz 2

1. C 2. A 3. B 4. C 5. A

Grammar Quiz

Quiz 1

1. A 2. B 3. C 4. B 5. A

Quiz 2

1. Karavanı evin önüne park ettiler.

2. Çağrı merkezini aradılar ve yardım istediler.
3. Komşu bize çay ve pasta ikram etti.

Vocabulary Quiz

Quiz 1

1. arıcı / arıcılık 2. marangoz / marangozluk
3. bahçıvan / bahçıvanlık

Quiz 2

1. öykü yazarı 2. doğa yürüyüşü 3. klasik gitar
4. kamp alanı 5. turist rehberi

Quiz 3

1. Şimdi cep telefonum iyi **çekmiyor**. Seni sonra arayacağım.
2. Lastikçiye gidiyorum. Arabamın tekeri **patladı**.
3. Bu sabah komşuma gittim. Bana kurabiye **ikram** etti.
4. Annem ve ablam bir mobilya **mağazasına** gittiler. Yeni bir oturma takımı alacaklar.
5. Kavanozda biraz **bal** var. Yemek ister misin?
6. Ben ve arkadaşım bu pazar **doğa** yürüyüşü yapacağız.

Quiz 4

1. Esra arkadaşıyla telefonda **sohbet** etti.
2. Kız kardeşim **takıları** çok seviyor. Ona bir kolye aldım.
3. Gece bahçede ateş **yaktık** ve etrafında oturduk. Çok keyifli bir geceydi.
4. Yere bir örtü **serdiler** ve üzerine yiyecekleri koydular.
5. Yarın öğleden sonra **kamp alanına** varacağız.
6. Fırat şimdi yolculuk için **hazırlık** yapıyor
7. Babam bizim için çok güzel bir tatil **programı** yaptı.

Quiz 5

1. C 2. B 3. A 4. C 5. B 6. A 7. B

Not (Notes)

2

İlk İş Günü

İş Başvurusu

Mustafa, bir ay önce Melbourne'den Türkiye'ye geldi. Çünkü ailesi Muğla'da yaşıyor ve o ailesini çok seviyor. Mustafa özellikle İstanbul'u, Ege ve Akdeniz kıyılarını çok sever. O, azimli ve çok çalışkan bir genç adamdır. Türkiye'de bir üniversite kazandı. Makine mühendisi olmak istiyor. Okul masrafları için bir işe ihtiyacı var. Her gün iş ilanlarına bakıyor. "Hem çalışır hem de okula gidebilirim." diye düşünüyor. O birçok iş yapabilir. Emlakçılık, araba kiralama elemanı, kütüphane çalışanı gibi birçok işe başvuru yaptı. Fakat hiçbiri kabul etmedi. Bu yüzden çok üzüldü.

İlk Gün

Bir gün, Murat diye bir arkadaşı ona telefon etti. "Mustafa, internette bir süpermarketin iş ilanını gördüm. Eleman arıyorlar. Süpermarket üniversiteye çok yakın. Bu sayede yol masrafın olmaz. Ders çalışmak için zamanın kalır. Böyle bir iş ister misin?" diye sordu. Mustafa, "Evet, tabii ki çok isterim." diye cevap verdi. Mustafa, bilgisayarda ilanı okudu: "Süpermarketimiz için ihtiyacımız olan meslekler şunlardır: İnsan kaynakları asistanı, forklift operatörü, satın alma asistanı, depo elemanı, taze gıda personeli, kasiyer, reyon görevlisi, manav, kasap ve ekmekçi." Mustafa, ilanı okudu ve hemen süpermarkete gitti.

Vocabulary

kütüphane
library

manav
greengrocer

Bir gün, Murat diye bir arkadaşı ona telefon etti.

---

aile family
araba kiralama car rental
azimli determined, persevering
başvuru yapmak to apply
depo elemanı warehouse worker
ekmekçi bread baker
emlakçılık real estate business
insan kaynakları human resources
iş ilanları job adverts
kasap butcher
kasiyer cashier
kazanmak to win, to earn
kütüphane library
kıyı shore, coast
makine mühendisi mechanical engineer
manav greengrocer
masraf expense
meslek profession
özellikle especially
satın alma asistanı purchasing assistant
taze gıda fresh food
üzülmek to become sad
yakın close
yaşamak to live
yol masrafı travel expense

Market müdürünü buldu. "Merhaba. Ben Mustafa. İş ilanı için geldim." dedi. Market müdürü, "Merhaba, ben Ali. Hoş geldiniz. Buyurun, odama gidelim." diye cevap verdi. Birlikte Ali'nin odasına gittiler.

Ali, Mustafa'ya, "Biraz kendinizden bahseder misiniz?" dedi. Mustafa, "Türkiye'ye Avustralya'dan geldim. Dört yıl Avustralya'da teyzemin yanında yaşadım. Liseyi orada okudum. İngilizce ve Fransızca öğrendim. Ailemi çok özledim. Türkiye'yi çok seviyorum. Üniversitede makine mühendisliği bölümünü kazandım. Okul masraflarımı karşılamak için çalışmak istiyorum." dedi. Ali çok düşünceli göründü. Bir dakika izin istedi ve telefonla bir kişiyi aradı. "Bir öğrenci geldi. Bizimle çalışabilir mi?" diye sordu. Cevap olumsuzdu. Ali açıklama yaptı: "Ben bir öğrenciye yardım etmek isterim. Fakat insan kaynakları uzmanı kabul etmedi. Tam zamanlı eleman aranıyor." dedi. Mustafa çok üzgündü. Teşekkür etti ve odadan dışarı çıktı. Mustafa reyonların arasında yürüdü. "Çok büyük bir süpermarket. Elektronik eşya, mutfak eşyaları, oyuncak, bahçe ürünleri yani her şey var. Fakat benim için iş yok." diye düşündü.

Mustafa, bu sırada bir fısıltı duydu. İki adam, rafların arasındaydı. Mustafa, gizlice onları gözetledi. "Çok garip. Hem sessizce konuşuyor hem de sağa sola bakıyorlar. Neler oluyor?" dedi kendi kendine.

Vocabulary

oyuncaklar
toys

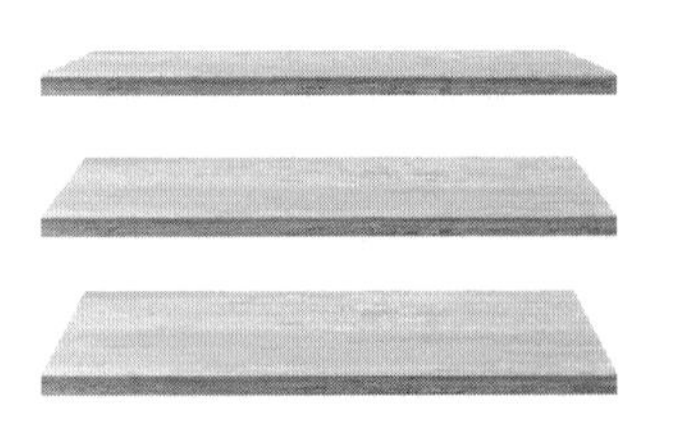

raflar
shelves

elektronik eşyalar
electronic devices

Ali, Mustafa'ya, "Biraz kendinizden bahseder misiniz?" dedi.

açıklama yapmak to make an explanation
bahsetmek to talk about
bahçe ürünleri gardening products
bu sırada in the meantime
bölüm branch, department
duymak to hear
düşünceli pensive, lost in thought
fısıltı whisper
gizlice secretly
iş ilanı job advert
izin istemek to ask for permission
kabul etmek to accept
karşılamak to cover (expenses)
kazanmak to win, to earn
makine mühendisliği mechanical engineering
müdür manager
okul masrafları school expenses
olumsuz negative
oyuncak toy
özlemek to miss
tam zamanlı full time
uzman expert
yardım etmek to help

İki kişi hızlıca yüzlerine maske taktılar. Birinin yüzünde beyaz maske, diğerinin yüzünde siyah maske vardı. Mustafa içinden, "Tehlikeli bir durum var." diye düşündü ve reyonların arasına saklandı.

İki kişi kasaya doğru yürüdü. Elleri ceplerindeydi. Kasaların önüne geldiler. Kasanın gerisinde on iki yaşında bir kız çocuğu ve yaşlı bir kadın vardı. Pelin ismindeki kız çocuk, korkuyla maskeli adamlara baktı. Geri geri yürüdü ve bir konserve standına çarptı. Stant büyük bir gürültüyle devrildi. Pelin hemen ayağa kalktı ve "Hırsız var!" diye bağırdı. Beyaz maskeli adam Pelin'e, "Sus!" diye bağırdı. Mustafa hızla koştu, Pelin'i gizlice aldı ve reyonun arkasına götürdü. Pelin'in annesi yanlarına geldi ve ona sarıldı.

Bu sırada yaşlı kadın, "Kendimi iyi hissetmiyorum." dedi. Mustafa, düşmesin diye onun kolundan tuttu. Birlikte sandalyeye doğru yürüdüler. Kadın oturdu ve Mustafa bir dolaptan su getirdi. Mustafa, "İyi misiniz?" diye sordu. Kadın su içti ve "Daha iyiyim, çok teşekkür ederim." dedi.

Market müdürü Ali ve güvenlik görevlisi koşarak geldiler. Güvenlik görevlisi maskeli adamları gördü ve "Neler oluyor?" diye sordu. Beyaz maskeli adam, cebindeki sivri nesneyi gösterdi. "Eller yukarı!" dedi. Güvenlik görevlisi, "Bu iki adam, bana ve insanlara zarar verebilir." diye düşündü. Çaresizdi. Ellerini yukarı kaldırdı.

Vocabulary

kasa / kasiyer
till / cashier

maske
mask

Pelin hemen ayağa kalktı ve "Hırsız var!" diye bağırdı.

---

bağırmak to shout, to scream
birlikte together
cep pocket
çaresiz desperate, helpless
devrilmek to fall over, to topple
dolap fridge
Eller yukarı! Hands up!
geri geri yürümek to walk backwards
gürültü noise
güvenlik görevlisi security guard
hızlıca quickly
kasa till
kolundan tutmak to hold one's arm
maske takmak to wear a mask
Neler oluyor? What's happening?
nesne object
saklanmak to hide
sarılmak to hug
sivri pointed, sharp
sormak to ask
tehlikeli dangerous
zarar vermek to hurt

Beyaz maskeli adam, "Silahlarını bırak ve yere yat." dedi. Güvenlik görevlisi yavaşça silahlarını bıraktı. Ali ve güvenlik görevlisi yere yattılar.

Siyah maskeli adam kasiyer kıza, "Kasadaki paraları ver!" dedi. Kız çok korktu. Adam, "Ne duruyorsun? Çabuk ol!" diye bağırdı. Kasiyer kız hiç hareket etmedi. Mustafa ona, "Korkma ve paraları ver." dedi. Kız, paraları adama verdi.

Fakat para çok azdı. Maskeli adamlar çok kızdı. Beyaz maskeli adam, "Kapıyı kilitle!" diye bağırdı. Mustafa, "Ben kilitlerim." dedi. Mustafa, otomatik kapıyı kilitledi. Siyah maskeli adam panik içinde terlemeye başladı. "Paraları nerede saklıyorsunuz?" diye sordu. Ali, "Hepsi bu kadar. Saklamıyoruz. Sabah saatinde çok para olmaz. Çünkü az müşteri gelir." dedi. Maskeli adamlar sustu ve birbirine baktı. Siyah maskeli adam, "Doğru olamaz. Bütün parayı ver ya da sizi rehin alıyoruz." dedi.

Pelin, Mustafa'ya göz kırptı ve sessizce, "Gel." dedi. İkisi, gizlice oyuncak reyonunda buluştu. Çocuk anlattı ve Mustafa dinledi. Mustafa, "Güzel bir fikir. Tamam, hadi başlıyoruz." dedi.

Mustafa, hırsızların yanına geri döndü. Tam bu sırada alarm sesleri duyuldu. Hem polis sireni hem de telsiz sesleri çalmaya başladı. Beyaz maskeli adam panikle, "Polisler geldi!" dedi.

Vocabulary

göz kırpmak
to wink

güvenlik görevlisi
security guard

Pelin, Mustafa'ya göz kırptı ve sessizce, "Gel." dedi. İkisi, gizlice oyuncak reyonunda buluştu. Çocuk anlattı ve Mustafa dinledi.

---

anlatmak to tell
başlamak to begin
bırakmak to let go, to leave
birbirine bakmak to look at each other
buluşmak to meet
dinlemek to listen
Doğru olamaz. It can't be true.
fikir idea
göz kırpmak to wink
Kapıyı kilitle! Lock the door!
kilitlemek to lock
korkmak to be scared
müşteri customer
panik içinde in panic
rehin almak to take hostage
silah weapon
susmak to be quiet
tam bu sırada just then
telsiz (police) radio
terlemek to sweat
yere yatmak to lie on the floor

Siyah maskeli adam, "Zaman yok. Gidiyoruz. Beni takip et!" dedi. İkisi reyonların arkasına doğru koştular. Herkes çok şaşkındı. Ali, "Nereye gittiler? Hırsızlar kaçtı ama nereye?" diye sordu.

Pelin güldü. "Oyuncak seslerini gerçek sandılar. Çok iyi bir plan yaptım." dedi. Güvenlik görevlisi, "Gerçekten çok iyi bir plan. Sen çok akıllı bir kız çocuğusun. Bizi hırsızlardan kurtardın küçük kahraman. Teşekkür ederim. Sana da teşekkür ederim delikanlı." dedi.

Sonra polisler geldi. Hırsızları hiçbir yerde bulamadılar. Mustafa düşündü. Aklına bir fikir geldi. Polisleri Ali'nin odasına doğru götürdü. Koridorda bir mazgal vardı. Mustafa haklıydı. Hırsızlar oradaydı. Polisler hırsızları yakaladı. Herkes çok sevindi.

Süpermarkette hayat normale döndü. Polisler, müşteriler ve çalışanlar, Pelin ve Mustafa'yı tebrik etti. Ali ikisine de teşekkür etti. Ali, Mustafa'ya, "Hâlâ burada çalışmak istiyor musun?" diye sordu. Mustafa, "Evet, tabii. Çok isterim." dedi. Ali, "Sen cesur, dürüst ve çalışkan bir gençsin. Fakat üniversitede okumak kolay değil. Kaç saat burada çalışabilirsin?" diye sordu. Mustafa biraz düşündü ve "Hafta içi üç saat, hafta sonu yedi saat çalışabilirim." dedi. Ali, Mustafa'nın elini sıktı. "Tebrik ederim. Artık bir işin var." dedi.

Vocabulary

elini sıkmak
to shake hands

Mustafa, "Bence hırsızlar buradan kaçtı." dedi. Polis, mazgal kapağını açtı ve altındaki koridorda arama yaptı.

---

akıllı clever
cesur brave
çalışan employee
çalışkan hard-working
delikanlı lad, young man
dürüst honest
elini sıkmak to shake hands
gerçek real
Hayat normale döndü Life has returned to normality.
kahraman hero
kaçmak to escape
kurtarmak to save
mazgal loophole
minnettar grateful
müşteri customer
plan yapmak to make a plan
sevinmek to become happy
şaşkın confused, puzzled
takip etmek to follow
tebrik etmek to congratulate
yakalamak to catch

Pelin, "Peki ya ben? Beni unuttunuz!" diye bağırdı. Ali ve Mustafa, Pelin'e baktı. İkisi de şaşkındı. Mustafa, "Küçük kahraman, seninle tanışabilir miyiz?" diye sordu. Pelin, "Ben Pelin. On iki yaşındayım. Arka sokakta oturuyorum. Ben de burada çalışmak istiyorum. Okuldan sonra gelirim. Birçok iş yapabilirim." dedi. Ali, "Peki ailen izin veriyor mu?" diye sordu. Pelin'in annesi, "Tabii ki izin veririm. Pelin çalışmayı çok seviyor. Kızımı kabul ederseniz çok sevinirim." dedi.

Ali düşündü ve "Burada çalışmana izin veremem. Ama yardım etmek için gelebilirsin." dedi. Pelin, "Peki, kabul ediyorum. Şimdi işimi anlatır mısın?" diye sordu. Ali, "Sen ne yapmak istersin?" dedi. Pelin, "Oyuncak reyonunu düzenleyebilirim. Dağılmasın diye... Oyuncakları çok severim ve hiç sıkılmam." dedi. Ali bu teklifi kabul etti.

Ali, "Çok heyecanlı bir gün oldu. Gelin, size neler yapacağınızı anlatayım. Hemen başlamaya ne dersiniz?" diye sordu. Pelin ve Mustafa, aynı anda, "Harika olur." dediler. Ali, "Peki, bugün sizin ilk iş gününüz. Mustafa, depodan iş önlüğü alabilirsin. Pelin, sana uygun iş önlüğümüz yok." dedi. Pelin'in annesi, "Ben kızım için güzel bir iş önlüğü dikebilirim. Ne dersin kızım?" dedi. Pelin, "Çok sevinirim anne. Teşekkür ederim. Giymek için sabırsızlanıyorum." diye cevap verdi.

Sonraki Günler

Mustafa ve Pelin, her gün okuldan sonra süpermarkete geldiler. Mustafa, süpermarkette birçok iş yaptı. Süpermarketin temizliğini yaptı. Reyonları düzenledi ve kontrol etti. Ürün stoklarını takip etti. Hasarlı ürünleri depoya iade etti. Her şeyin fiyatını ezberledi. Her zaman çok güler yüzlüydü.

Ali ve Mustafa, Pelin'e baktı. İkisi de şaşkındı. Mustafa, "Küçük kahraman, seninle tanışabilir miyiz?" diye sordu.

---

arka sokak back street
aynı anda at the same time
cevap vermek to answer
dağılmak to scatter, to get untidy
depo storage
dikmek to sew (dress)
düzenlemek to arrange; to tidy up
ezberlemek to memorise
fiyat price
giymek to wear
güler yüzlü having a smiling face
hasarlı damaged
iade etmek to return (an item)
izin vermek to give permission
Peki ya ben? What about me?
sıkılmak to get bored
sabırsızlanmak to get impatient
önlük apron
tanışmak to get to know someone
takip etmek to follow, to track
teklif offer, proposal
temizlik cleaning
uygun suitable
ürün product

Pelin, çok titiz ve çok çalışkandı. Bütün oyuncakların özelliklerini öğrendi. Müşteri artsın diye yeni planlar yaptı. Oyuncak tanıtım günleri, kitap okuma günleri, masal anlatma günleri düzenledi. Herkes, çalışkan ve yaratıcı bu kız çocuğuna hayran oldu. Pelin ve Mustafa çok mutluydu. Uzun süre orada çalışmaya devam ettiler.

Pelin ve Mustafa çok mutluydu.
Uzun süre orada çalışmaya devam ettiler.

---

artmak to increase
hayran olmak to admire
masal tale, story
özellikler features
tanıtım introduction, promotion
titiz meticulous
uzun süre for a long time
yaratıcı creative

Comprehension Quiz

Quiz 1 Answer the following questions.

1. Mustafa ne olmak istiyor?
2. Mustafa, süpermarketteki iş ilanını kimden duydu?
3. Süpermarket, üniversiteye uzak mı?
4. Mustafa, Avusturalya'da kaç yıl yaşadı?
5. Pelin, hırsızları görünce ne yaptı?
6. Pelin, müşteri artsın diye ne yaptı?

Quiz 2 Choose the correct answer.

1. Mustafa, ilanı okuduktan sonra nereye gitti?
   A) süpermarkete B) Murat'a
   C) kafeye D) üniversiteye
2. Süpermarket nasıl bir eleman arıyor?
   A) yarı zamanlı B) gönüllü C) tam zamanlı
3. Pelin hangi reyonda çalışmak istedi?
   A) elbise reyonunda B) oyuncak reyonunda
   C) manav reyonunda D) kuruyemiş reyonunda

Quiz 3 Choose the correct answer.

1. Mustafa ilanı okudu ve	☐ a. hem de yemek yiyor.
2. Kasiyer kız, siyah maskeli	☐ b. telefonla bir kişiyi aradım.
3. Okul masraflarımı karşılamak	☐ c. görevlisi koşarak geldiler.
4. Bir dakika izin istedim ve	☐ d. adamdan çok korktu.
5. Ali, hem konuşuyor	☐ e. hemen süpermarkete gitti.
6. Market müdürü Ali ve güvenlik	☐ f. için çalışmak istiyorum.

Grammar Quiz

Quiz 1 Choose the correct answer.

1. Hem polis sireni ________ telsiz sesleri çalmaya başladı.
   A) dahi B) hem de C) ne de
2. Siyah maskeli adam, panik içinde ________ başladı.
   A) terlemeye B) terlemek C) terleme
3. Yeni elbiselerimi ________ için sabırsızlanıyorum.
   A) giymeyi B) giy C) giymek
4. Güvenlik görevlisi silahını ________ ve yere yattı.
   A) bıraktı B) bırakıyor C) bırak
5. Mustafa birçok işe başvuru yaptı ________ hiçbiri kabul etmedi.
   A) ya da C) hem de C) ama
6. Okulum süpermarkete çok yakın. ________ okula yürüyerek gidiyorum.
   A) Fakat B) Bu yüzden C) Ya da

Quiz 2 Correct the words written in bold.

1. Pelin, bütün **oyuncaklar** özelliklerini öğrendi.
2. Polisler, hırsızları hiçbir **yer** bulamadılar.
3. Otobüs çok **kalabalık**. Otobüste elliden fazla yolcu vardı.
4. Maç saat 7'de başlıyor. Bizim **evi** beraber seyredelim mi?
5. Pırıl, sonunda bir vazo **yapmak** başardı.
6. Pırıl, ata **binmek** bilmiyor.

Vocabulary Quiz

Quiz 1 Write the words for the pictures.

k __________ m __________ k __________

Quiz 2 Match the words on the left with their collocations on the right.

1. okul	mühendisi	__________
2. genç	kiralama	__________
3. makine	masrafları	*okul masrafları*
4. iş	adam	__________
5. araba	ilanı	__________

Quiz 3 Complete the sentences with the words below.

iş	kiralama	çalışmak	makine	reyon	masraflarım

1. Erkan __________ mühendisi olmak istiyor.
2. Gazetede bir __________ ilanı okudum. Bir güvenlik görevlisi arıyorlar.
3. Bankanın yanında bir araba __________ firması var.
4. Oğlum ders __________ istemiyor. Oyun oynamak istiyor.
5. Okul __________ için çalışmam gerek. Paraya ihtiyacım var.
6. __________ görevlisi bana yardım etti. Bana uygun bir ayakkabı getirdi.

Quiz 4 Complete the sentences with the words below.

dürüst normale karşılamak mühendisi yakaladı makine

1. A : Serdar ne olmak istiyor?
   B : Serdar, makine ________ olmak istiyor.
2. A : Mehtap, üniversitede hangi bölümü kazandı?
   B : Mehtap, üniversitede ________ mühendisliği bölümünü kazandı.
3. A : Sen neden çalışmak istiyorsun?
   B : Okul masraflarını ________ için çalışmak istiyorum.
4. A : Ali nasıl bir insan?
   B : Ali, ________ ve çalışkan bir insan.
5 A : Polisler hırsızları ne yaptı?
   B : Polisler hırsızları ________.
6 A : Süpermarkette hayat ne zaman ________ döndü?
   B : Polisler hırsızları yakaladıktan sonra.

Quiz 5 Complete the sentences with the words below.

başvurmak	iş	masrafım	zamanlı	hem

1. Üniversite evime çok yakın. Bu yüzden yol ________ yok.
2. Bu süpermarkette bir kasiyere ihtiyaç var. İşe ________ ister misin?
3. Bu yaz hem çalışmak ________ de tatil yapmak istiyorum.
4. Tam sana göre bir ________ ilanı gördüm. Başvurmak ister misin?
5. Üniversiteden sonra tam ________ bir işte çalışmak istiyorum.

Cevap Anahtarı (Answer Key)

Comprehension Quiz

Quiz 1

1. Mustafa ne olmak istiyor?

   Mustafa, mühendis olmak istiyor.

2. Mustafa, süpermarketteki iş ilanını kimden duydu?

   Murat'tan duydu.

3. Süpermarket, üniversiteye uzak mı?

   Hayır, süpermarket üniversiteye uzak değil.

   (Hayır. Süpermarket üniversiteye yakın.)

4. Mustafa, Avusturalya'da kaç yıl yaşadı?

   Mustafa, Avusturalya'da 4 yıl yaşadı.

5. Pelin, hırsızları görünce ne yaptı?

   "Hırsız var!" diye bağırdı.

6. Pelin, müşteri artsın diye ne yaptı?

   Yeni planlar yaptı.

   (Oyuncak tanıtım günleri, kitap okuma günleri, masal anlatma günleri düzenledi.)

Quiz 2

1. A 2. C 3. B

Quiz 3

1. E 2. D 3. F 4. B 5. A 6. C

Grammar Quiz

Quiz 1

1. B 2. A 3. C 4. A 5. C 6. B

Quiz 2

1. Pelin, bütün **oyuncakların** özelliklerini öğrendi..
2. Polisler, hırsızları hiçbir **yerde** bulamadılar.
3. Otobüs çok **kalabalıktı**. Otobüste elliden fazla yolcu vardı.
4. Maç saat 7'de başlıyor. Bizim **evde** beraber seyredelim mi?
5. Pırıl, sonunda bir vazo **yapmayı** başardı.
6. Pırıl, ata **binmeyi** bilmiyor.

Vocabulary Quiz

Quiz 1

1. kasap 2. manav 3. kasiyer

Quiz 2

1. okul masrafları 2. genç adam 3. makine mühendisi
4. iş ilanı 5. araba kiralama

Quiz 3

1. makine 2. iş 3. kiralama
4. çalışmak 5. masraflarım 6. Reyon

Quiz 4

1. mühendisi 2. makine 3. karşılamak
4. dürüst 5. yakaladı 6. normale

Quiz 5

1. masrafım 2. başvurmak 3. hem
4. iş 5. zamanlı

Not (Notes)

3

Güzel Atlar Ülkesi

Pınar ve Onat'ın Tatil Planı

Pırıl ve Onat, İtalya'nın Torino kentinde yaşıyorlar. Pırıl sanat tarihi, Onat bilgisayar mühendisliği bölümünde okuyor. İkisi de Türkiyeli. Pırıl İstanbul, Onat Ankara doğumlu. İki yıldır arkadaşlar ve birbirlerini çok seviyorlar.

Pırıl sakindir. Edebi romanları, eviyle ilgilenmeyi ve yoga yapmayı sever. Onat hareketli bir yapıya sahiptir. Çok spor yapar. Bisiklete binmeyi çok sever. Kurgusal olmayan sosyoloji kitaplarını okur. İkisi birlikte gezmeyi, bilgisayar oyunu oynamayı ve film seyretmeyi çok seviyorlar. Yaz tatili yaklaşıyor. Tatilde Türkiye'ye gitmeye karar verdiler.

Türkiye'de daha önce görmedikleri bir yere gitmek istediler. Türkiye rehberini incelediler. Pırıl, "Olimpos, Nemrut, Kapadokya, Şirince, Gökçeada, Alaçatı, Mardin, Göbeklitepe... Nereye gidelim? Karar veremiyorum." dedi. Onat, Kapadokya'ya gitmeyi teklif etti. "Kapadokya, Pers dilinde 'Güzel Atlar Ülkesi' demek. Tarihi M.Ö. 7000 yıl kadar eski. Ayrıca UNESCO Dünya Mirası Listesi'nde. Ne dersin?" diye sordu. Pırıl, "Çok iyi fikir. Hemen bilet rezervasyonlarımızı yaptıralım." dedi.

İkisinin de okuldaki sınav dönemi bitti. O dönem ikisi de çok başarılı oldu. Yolculuk hazırlıkları tamamdı. Üç gün süre için güzel bir program yaptılar. Daha sonra ailelerini ziyaret etmeye karar verdiler. Uçakla önce İstanbul'a sonra Kayseri'ye gittiler. Sonunda Kapadokya'ya vardılar.

Türkiye'de daha önce görmedikleri bir yere gitmek istediler. Türkiye rehberini incelediler.

---

aşağıya inmek to come down
başarılı successful
bilgisayar mühendisliği computer engineering
bilgisayar oyunu computer games
birbirlerini each other
doğumlu born in
dönem period
Dünya Mirası Listesi World Heritage List
fikir idea
hareketli active, lively
hemen immediately
ilgilenmek to be interested in
incelemek to go through
karar vermek to decide
kent city
kurgusal olmayan non-fiction
rehber guide
roman novel
sakin quiet
sanat tarihi art history
sınav exam, assesment
teklif etmek to offer, to propose
yaz tatili summer holiday
yaklaşmak to come closer, to near

Peri Bacaları

Kapadokya'da bir mağara oteline geldiler. Otelin büyük, görkemli tahta kapıları ve taş duvarları vardı. Burası tarihi bir mekandı. Hem modernlik hem de eski yaşamın izleri bir aradaydı.

Odalarına çıktılar. Çok temiz ve ferah bir odaydı. Pırıl, pencereden baktığında manzarayı gördü. Bir vadi içindeki peri bacaları ve kiliseler çok güzeldi. "Büyüleyici. İyi ki buraya geldik." dedi. İkisi de çevreyi keşfetmek istedi. Çantalarını bıraktılar ve hemen dışarı çıktılar. Önce otelde yöresel yemekler yediler. Sonra peri bacaları gezisine çıktılar. Bir süre gezdiler. Onat, "Konik gövdeli kayalar var. Her kayanın üzerinde de şapka benzeri taşlar. Nasıl olabilir?" diye sordu. Pırıl, elindeki kitapçığa baktı. "Burada çok ilginç bir şey yazıyor." dedi. Onat merakla, "Ne yazıyor?" diye sordu. Pırıl yazıyı okudu ve "Efsaneye göre, eskiden burada periler yaşardı. Böyle yazıyor." dedi. Onat, "Biz, bir turist rehberi bulalım. Bu sayede her şeyi öğrenebiliriz." dedi.

Bir turizm ofisine gittiler. Orada turist rehberi olan Atilla ile tanıştılar. Atilla, "Kaç gün kalacaksınız?" diye sordu. Onat, "Sadece üç gün." diye cevap verdi. Atilla, "Burada gezilecek birçok yer var. Birkaç favori yer seçebiliriz. Hadi, gezimize başlayalım." dedi.

Vocabulary

kilise
church

mağara
cave

Pırıl ve Onat peri bacalarında fotoğraf çektiler.

büyüleyici impressive
çevre environment
efsane legend
ferah spacious
görkemli glorious
gövde body, trunk, stem
keşfetmek discover
konik conical
mağara cave
manzara scenery
mekan place
peri bacaları fairy chimneys
sonunda in the end
tahta wood, wooden
tarihi historical
taş duvarlar stone walls
vadi valley
varmak to arrive
yaşamın izleri traces of life
yolculuk travel
yöresel yemek traditional dish
ziyaret etmek to visit

Atilla'nın aracına binip yola çıktılar. Onat, "Peri bacalarının nasıl oluştuğunu anlatır mısınız?" diye sordu. Atilla anlatmaya başladı. "Çevredeki dağlar, milyonlarca yıl önce aktif yanardağlardı. Sonra lav kayaları oluştu. Kayalar doğa etkisiyle bu şekli aldı. Yani yağmur ve rüzgâr etkisiyle..." Pırıl, "Peki, neden 'Güzel Atlar Ülkesi' deniyor?" diye sordu. Atilla, "Persler zamanında burada vahşi ve güzel atlar vardı. Adına da 'Güzel Atlar Ülkesi' denirdi. Artık Kapadokya kaya evleri, kiliseleri, yeraltı şehirleri, leziz yemekleri ve ünlü şarapları ile tanınıyor. Her bölgenin bir efsanesi vardır ve gizemli bir atmosfere sahiptir." Sonra sohbet bitti ve arabadan indiler.

Açık hava müzesine gittiler. Burada birçok kilise vardı. Kızlar ve Erkekler Manastırı'nı, Aziz Basileus Kilisesi'ni, Elmalı Kilise'yi, Aziz Barbara Kilisesi'ni, Yılanlı Kilise'yi, Karanlık Kilise'yi, Çarıklı Kilise'yi ve Tokalı Kilise'yi gezdiler. Yılanlı Kilise'de hem dini motifler hem de freskler vardı. Karanlık Kilise'deki motifler çok renkli ve etkileyiciydi. Atilla onlara birçok gerçek hikâye anlattı. İkisi de bu geziden çok etkilendiler. Ancak akşam oldu ve çok yoruldular.

Otele döndüler ve teras katına çıktılar. Yemeklerini orada yediler. Gece manzarası daha güzeldi. Kendilerini yorgun ama huzurlu hissettiler. Erkenden odalarına gittiler. Çok güzel bir uyku uyudular.

Vocabulary

freskler
church murals

yanardağ
volcano

Atilla'nın aracına binip yola çıktılar.

araç vehicle
açık hava müzesi open air museum
dini religious
doğa nature
efsane legend
etki effect
etkileyici fascinating, impressive
gerçek real
gezi trip
gizemli mysterious
hikaye story
etkilenmek to be affected
kaya rock
leziz delicious
oluşmak to be formed
rüzgar wind
sohbet conversation
tanışmak to meet
ünlü famous
vahşi atlar wild horses
yanardağ volcano
yağmur rain
yeraltı underground
yorulmak to get tired

Derinkuyu Yeraltı Şehri

Ertesi gün sabah kahvaltısından sonra Atilla geldi. Atilla, onları Derinkuyu Yeraltı Şehri'ne götürdü. Yeni bir serüven daha başladı.

Atilla, onlara Derinkuyu Yeraltı Şehri'ni anlatmaya başladı. "Kapadokya'da otuz altı yer altı şehri vardır. Derinkuyu Yeraltı Şehri en büyüğüdür. Tarihi M.Ö. 3000'li yıllara dayanır. Ayrıca Bizanslılar burayı sıkça kullandılar. Sekiz katlıdır ve altmış metre derinliğindedir. Altmış metre derinlik yirmi katlı bir apartman kadardır." Hep birlikte aşağı indiler ve katları gezdiler. Atilla, onlara şehir şemasını gösteren bir harita verdi. Giriş katı, gizli bir kapıydı. Aşağıdaki katlarda ahır, misyoner okulu, vaftizhane, mutfak, erzak depoları, oturma odaları, yatak odaları, havalandırma bacası, toplantı salonu, mezar odası, salon ve su kuyuları gördüler. Ayrıca başka bir yer altı şehrine giden tünel vardı. İlginç kapıları, haberleşme sistemleri benzersizdi.

Gezi bitti ve dışarı çıktılar. Onat, "Bu muhteşem yapı milattan önce nasıl yapıldı?" diye sordu. Pırıl, "Labirente benziyor. Mısır piramitleri kadar etkileyici." dedi. Atilla, "Tarihin sadece bir bölümünü biliyoruz. Tarih sırlarla dolu." dedi.

Öğlen yemeğinden sonra, bol köpüklü Türk kahvesi içtiler. Pırıl, çarşıyı gezmek istedi. Çarşıda güzel seramikler, çanak çömlekler, bez bebekler, peri bacası biblolar, gümüşler, antikalar, yöresel yiyecekler, kilimler, halılar ve daha birçok şey vardı.

Hep birlikte aşağı indiler ve katları gezdiler.

ahır barn
benzersiz unique, unparalelled
bol plenty
aşağı inmek to go down
dayanmak to date back to
derinlik depth
erzak depoları food/supplies storage
gece manzarası night view
giriş katı ground floor
gizli secret
haberleşme communication
havalandırma ventilation
huzurlu peaceful
kullanmak to use
köpüklü frothy
mezar grave
serüven adventure
sırlarla dolu full of mysteries
su kuyuları water wells
şehir city
şema outline, sketch, drawing
teras katı roof terrace; penthouse
toplantı salonu meeting hall
yorgun tired

Halı dükkanında, doğal boya ve yün iplikten yapılan halılar gördü. Ayrıca ipek halılar vardı. İpek bir halı, Pırıl'ın ilgisini çekti. Halıcı, halıyı yere serdi. Pırıl, halıyı çok beğendi. Onat'ın fikrini sordu. O da çok beğendi. Halıyı satın aldılar. Satıcı, "Merak etmeyin. Ben halıyı otelinize gönderiyorum. Siz gezinize devam edin." dedi. Pırıl ve Onat teşekkür ettiler.

Çarşıyı gezmeye devam ettiler. Bu sırada Pırıl, bir çömlek atölyesi gördü. Atilla, "Burası toprak kaplar ve seramiklerle ünlüdür. Siz de yapmak ister misiniz?" diye sordu. Pırıl, "Ben çok isterim." diye cevap verdi. Seramik ustası onları güler yüzle karşıladı. Pırıl çarkın başına oturdu. Kili ellerinin arasına aldı. Seramik ustası ona yardım etti. Pırıl sonunda bir vazo yapmayı başardı. Kendisini çok iyi hissetti.

Atilla, "Şimdi sizi yalnız bırakıyorum. Fakat gezimiz daha bitmedi. Bu gece dolunay var. Akşam yemeğinden sonra geliyorum. Hazır olun." dedi. Pırıl ve Onat, tarihi sokaklarda yürüyerek otele gittiler.

Vocabulary

çömlek kaplar
clay pots

halı dükkanı
carpet shop

Pırıl çarkın başına oturdu. Kili ellerinin arasına aldı. Seramik ustası ona yardım etti.

antikalar antiques
başarmak to succeed
bez bebekler rag dolls
çanak çömlekler earthenware
çark wheel, rotor
çarşı market, bazaar
çömlek atölyesi pottery workshop
doğal boya natural paint
dolunay full moon
gezi trip
gümüşler silverware
halı dükkanı carpet shop
ilgisini çekmek to appeal
ipek halı silk carpet
kil clay
sonunda in the end
tarihi historical
usta master
yalnız bırakmak to leave alone
yere sermek to lay sb/sth on the floor
yün iplik wool yarn

Dolunay

Akşam oldu ve Atilla otele geldi. "At binmeyi sever misiniz?" dedi. Pırıl, "Ben ata binmeyi bilmiyorum." dedi. Onat, "Merak etme, yapabiliriz." dedi. Ata binecekleri yere geldiler. Onlar gibi başka insanlar da vardı. Pırıl ve Onat ata bindi ve yavaş yavaş gezmeye başladılar. Dolunay vadiyi aydınlattı. Gece vakti peri bacaları, daha gizemli ve büyüleyici göründü. Manzara muhteşemdi. Pırıl ve Onat, o gece yeni insanlarla tanıştılar ve arkadaş oldular.

Gezi bitti ve otele döndüler. Atilla, "Biliyorsunuz, sabah çok erken kalkacağız. Siz dört buçukta hazır olun. Ben sizi almak için geleceğim." dedi. Onat, çok şaşırdı. "Dört buçuk mu? Nereye gidiyoruz?" diye sordu. Pırıl, "Senin için bir sürprizim var." dedi. Birlikte otele gittiler.

Gün Doğuşu

Sabah gün doğmadan uyandılar. Hava karanlıktı. Odada kahvaltı yaptılar. Atilla gelir diye dışarı çıktılar. Atilla oradaydı. Onat, "Şimdi söyleyin. Nereye gidiyoruz?" diye sordu. Pırıl, "Kapadokya'yı yukarıdan seyredeceğiz. Balonla gezmeye gidiyoruz." diye cevap verdi. Onat, "Çok güzel bir plan. Daha önce balona binmemiştim." dedi. Birlikte Göreme'ye gittiler.

Görevliler balonları hazırladı. Pilot, uçuş güvenliği ile ilgili bilgilendirme yaptı. Bu sırada hava aydınlandı. Sonunda balona bindiler ve yükseldiler. Rengarenk balonlar aynı anda uçmaya başladı. Pilot, "İki yüz elli metre yüksekteyiz." dedi. Aşağıdaki vadiler, peri bacaları ve taş evler küçük göründü. Pırıl ve Onat, çok güzel fotoğraflar çektiler.

Pırıl ve Onat ata bindi ve yavaş yavaş gezmeye başladılar. Dolunay vadiyi aydınlattı.

---

arkadaş olmak to become friends
at binmek horse riding
aydınlatmak to enlighten
balona binmek to go up in a hot-air balloon
büyüleyici impressive
dolunay full moon
gece vakti night time
gizemli mysterious
gün doğuşu sunrise, dawn
erken kalkmak to wake up early
hazır olmak to get ready
karanlık dark, darkness
manzara scenery
seyretmek to watch
şaşırmak to get surprised
tanışmak to meet
vadi valley
yukarıdan from above

Onat, çantadan küçük bir kutu çıkardı. "Pırıl, sana bir şey sormak istiyorum. Benimle evlenir misin?" dedi. Pırıl çok şaşırdı. Onat, kutunun içindeki yüzüğü gösterdi. Pırıl, "Evet, evlenirim." dedi ve Onat'a sarıldı. Balondaki diğer insanlar, onları alkışladı ve tebrik ettiler. Pırıl ve Onat, çok mutlu oldu. Onat, "İyi ki böyle bir gezi planladın. Ben de evlilik teklifi edebildim." dedi. Pırıl, "Benim için çok güzel ve unutulmaz bir gün oldu." dedi. Balon alçaldı ve aşağı indiler.

Atilla, "Bugün ne yapmak istersiniz? Tarihi bir gezi mi yoksa doğa yürüyüşü mü?" diye sordu. Pırıl, Onat'a baktı. "Hangisi? Ben kararsızım." dedi. Onat, "Bence doğa yürüyüşü." dedi. Birlikte Ihlara Vadisi'ne gittiler. Ünlü Melendiz Çayı kenarında yürüdüler. Atilla, "Burası 14 km uzunluğunda ve yaklaşık 200 metre derinlikte bir kanyondur. Kanyonun her iki yanında freskli kiliseler vardır." dedi. Pırıl, "Harika bitkiler, serin hava ve kuş sesleri... Burası harika bir yer." dedi. Bu geziyi beş saatte tamamladılar.

Ayrılık Vakti

Üç günlük gezi sona erdi. Onat, Atilla'ya "Çok teşekkür ederiz. Çok güzel bir gezi oldu." dedi. Pırıl, "Önümüzdeki sene tekrar gelebiliriz." dedi. Atilla, "Sizinle tanıştığıma memnun oldum. Her zaman beklerim." dedi. Çok güzel duygularla ayrıldılar.

Onat, çantadan küçük bir kutu çıkardı. "Pırıl, sana bir şey sormak istiyorum. Benimle evlenir misin?" dedi.

---

alkışlamak to applaud
alçalmak to descend
bilgilendirme informing
bitki plant
derinlik depth
doğa yürüyüşü nature walk
duygu feeling
evlenmek to marry
evlilik teklifi marriage proposal
görevli employee, officer
hava aydınlanmak to break (day)
kenar edge
kuş sesleri bird noise
kutu box
rengarenk colourful
sarılmak to hug
serin hava cool weather
sona ermek to end
tebrik etmek to congratulate
uçuş güvenliği flight safety
uzunluk length
yaklaşık approximately
yükselmek to go up, to ascend
yüzük ring

Comprehension Quiz

Quiz 1 Answer the following questions.

1. Pırıl ve Onat nerede yaşıyor?
2. Pırıl ve Onat, tatilde nereye gitmeye karar verdiler?
3. Kapadokya'ya gitmeyi kim teklif etti?
4. Pırıl ve Onat, Kapadokya'da nerede kaldılar?
5. Pırıl ve Onat, Kapadokya'da kaç gün kaldılar?

Quiz 2 Choose the correct answer.

1. Turist rehberinin adı nedir?
   A) Atilla B) Onat
   C) Pırıl D) Dolunay

2. Derinkuyu Yeraltı Şehri kaç metre derinliğindedir?
   A) 3000 B) 20
   C) 60 D) 200

3. Pırıl, çömlek atölyesinde ne yaptı?
   A) halı B) balon
   C) yüzük D) vazo

4. Onat, Pırıl'a nerede evlilik teklif etti?
   A) Otelde.
   B) Halıcıda.
   C) Balonda.
   D) Arabada.

5. Gezinin son günü nereye gittiler?
   A) Ihlara Vadisi'ne B) Şehir merkezine
   C) Derinkuyu Yeraltı Şehri'ne D) Safari parka

Grammar Quiz

Quiz 1 Choose the correct answer.

1. Onat, çok spor yapar ve bisiklete binmeyi çok ________.
   A) severim B) sever C) severiz
2. Tatilde Türkiye'ye ________ karar verdiler.
   A) gitmeyi B) gitmek C) gitmeye
3. Onlar, Atilla adında bir turist ________ tanıştılar.
   A) rehberiyle B) rehberini C) rehberi
4. Pırıl ve Onat, bu ________ çok etkilendiler.
   A) geziyi B) geziden C) geziye
5. Pırıl, ________ çok iyi hissetti.
   A) kendisini C) kendisine C) kendi
6. Pırıl ve Onat, Atilla gelir ________ dışarı çıktılar.
   A) için C) yüzünden C) diye

Quiz 2 Correct the words written in bold.

1. Pırıl ve Onat, geziden sonra **kendisini** çok yorgun hissettiler.
2. Pırıl, öğle yemeğinden sonra **çarşıya** gezmek istedi.
3. İpek bir halı, **Pırıl'dan** ilgisini çekti.
4. Satıcı, **halıya** otele gönderdi.
5. Pırıl, sonunda bir vazo **yapmak** başardı.
6. Pırıl, ata **binmek** bilmiyor.

Vocabulary Quiz

Quiz 1 Write the words for the pictures.

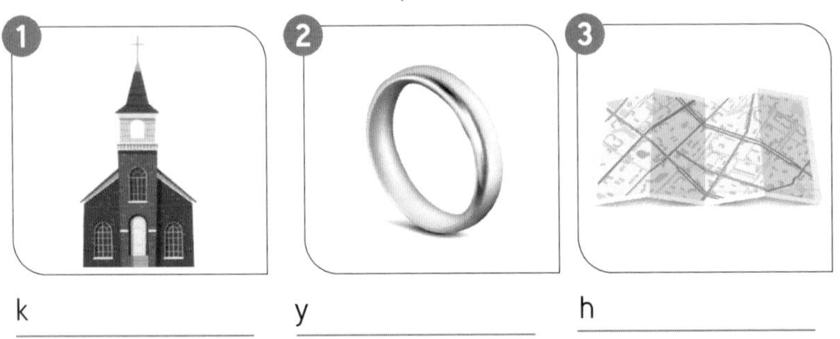

1 k ____________ 2 y ____________ 3 h ____________

Quiz 2 Match the parts of the words and write the full word.

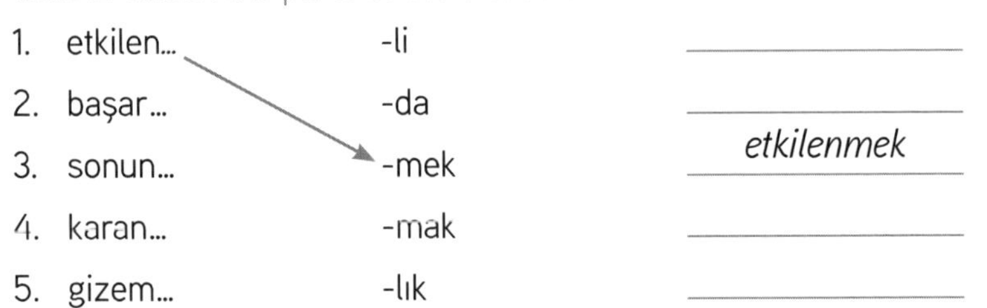

1. etkilen... -li ____________
2. başar... -da ____________
3. sonun... -mek *etkilenmek*
4. karan... -mak ____________
5. gizem... -lık ____________

Quiz 3 Complete the sentences with the words below.

yürüyüşü	güler	gizemli	ünlüdür	doğmadan	gezmeye

1. Satıcı bizi ________ yüzle karşıladı.
2. Sabah çok erken bir saatte balonla ________ gittiler.
3. Onlar sabah gün ________ uyandılar. Hava karanlıktı.
4. Gece vakti peri bacaları, ________ ve büyüleyiciydi.
5. Kapadokya, toprak kaplar ve seramiklerle ________.
6. Onlar doğa ________ yapmak istiyorlar.

Quiz 4 Complete the sentences with the words below.

tarihini	hazırlıkları	muhteşemdi	doğmadan	yüzle

1. A : Ev sahibi sizi nasıl karşıladı?
   B : Ev sahibi bizi güler ________ karşıladı.
2. A : Otelin manzarası nasıldı?
   B : Otelin manzarası ________. Karşısında masmavi bir deniz vardı.
3. A : Turist rehberi onlara ne anlattı?
   B : Turist rehberi onlara Kapadokya'nın ________ anlattı.
4. A : Onlar ne zaman uyandılar?
   B : Onlar gün ________ uyandılar.
5 A : Yolculuk ________ tamam mı?
   B : Hayır, tamam değil.

Quiz 5 Complete the sentences with the words below.

bindim	serdi	köpüklü	aydınlattı	yürüyerek	sırlarla

1. Bol ________ bir Türk kahvesi içmek istiyorum.
2. Geçen pazar günü ata ________.
3. Otele ________ gittiler. Çünkü hava çok güzeldi.
4. Tarihin sadece bir bölümünü biliyoruz. Tarih ________ dolu.
5. Halıcı, halıyı yere   Pırıl, halıyı çok beğendi.
6. Dolunay vadiyi ________. Gece vakti peri bacaları muhteşem göründü.

Cevap Anahtarı (Answer Key)

Comprehension Quiz

Quiz 1

1. Pırıl ve Onat nerede yaşıyor?

   Pırıl ve Onat, İtalya'nın Torino kentinde yaşıyor.
2. Pırıl ve Onat, tatilde nereye gitmeye karar verdiler?

   Tatilde Türkiye'ye gitmeye karar verdiler.
3. Kapadokya'ya gitmeyi kim teklif etti?

   Onat
4. Pırıl ve Onat, Kapadokya'da nerede kaldılar?

   Bir mağara otelinde kaldılar.
5. Pırıl ve Onat, Kapadokya'da kaç gün kaldılar?

   3 gün

Quiz 2

1. A 2. C 3. D 4. C 5. A

Grammar Quiz

Quiz 1

1. B 2. C 3. A 4. B 5. A 6. C

Quiz 2

1. Pırıl ve Onat, geziden sonra **kendilerini** çok yorgun hissettiler.
2. Pırıl, öğle yemeğinden sonra **çarşıyı** gezmek istedi.
3. İpek bir halı, **Pırıl'ın** ilgisini çekti.
4. Satıcı, **halıyı** otele gönderdi.
5. Pırıl, sonunda bir vazo **yapmayı** başardı.
6. Pırıl, ata **binmeyi** bilmiyor.

Vocabulary Quiz

Quiz 1

1. kilise
2. yüzük
3. harita

Quiz 2

1. etkilenmek
2. başarmak
3. sonunda
4. karanlık
5. gizemli

Quiz 3

1. güler
2. gezmeye
3. doğmadan
4. gizemli
5. ünlüdür
6. yürüyüşü

Quiz 4

1. yüzle
2. muhteşemdi
3. tarihini
4. doğmadan
5. hazırlıkları

Quiz 5

1. köpüklü
2. bindim
3. yürüyerek
4. sırlarla
5. serdi
6. aydınlattı

Not (Notes)

4

Gezi Günlüğü

Kötü Haber

Soğuk bir kış günüydü. Arya, yolculuk hazırlıklarını tamamladı. En kalın kazaklarını, en kalın çoraplarını bavula koydu. Bu sırada telefon çaldı. Arayan Demir'di. Demir, "Arya, çok kötü bir haberim var. Yarınki yolculuk iptal oldu." dedi. Arya, "Bu çok kötü bir şaka." dedi. Demir çok üzgündü. "Şaka değil. Yüksek lisans öğretmeni, tatil için ek ders koydu." dedi. Arya, "Nasıl olur? Bir sürü hazırlık yaptık." dedi. Demir açıklamaya devam etti. "Zorunlu değil. Fakat katılmam gerek. Notlarımı yükseltebilirim." dedi. Telefonu kapattılar.

Arya, koltuğa oturdu. Bir süre düşündü. "Benim dersim yok ve sömestir tatilim başladı. Bavulum hazır ve biletim var. Tren yolculuklarını çok seviyorum. Bu fırsatı kaçırmak istemiyorum." Arya karar verdi. Tek başına gidecekti.

Kötü

Sabah uyandığında biletini kontrol etti. Çok vakti vardı. Duş aldı ve kahvaltı yaptı. Bavulunu kontrol etti. Birkaç kitap daha aldı. Telefonla taksi çağırdı ve evden çıktı. Taksiye bindi. "Günaydın. Tren garına gidiyorum. Fakat biraz acelem var." dedi. Şoför, "Günaydın. Yalnız bu sabah trafik çok yoğun." dedi. Bir süre gittiler. Trafik tıkandı. Işıklarda uzun süre beklediler. Arya saatine baktı. Çok sabırsızlandı. Treni kaçırabilirdi. Sonunda tren garına vardılar.

Vocabulary

kazak
jumper

bavul
suitcase

Telefon çaldı. Arayan Demir'di. Demir, "Arya, çok kötü bir haberim var. Yarınki yolculuk iptal oldu." dedi.

---

acelem var I am in a hurry.
aşağıya inmek to come down
bavul suitcase
bir süre for a while
bir sürü plenty
ek additional
fırsat opportunity
haber news
hazırlık preparation
iptal olmak to be cancelled
kalın thick, warm (for clothes)
katılmak to attend
kaçırmak to miss
koltuk armchair
kış günü winter day
not grade, mark
sabırsızlanmak to get impatient
şaka joke
tek başına alone
tren garı train station
tıkanmak (traffic) to be jammed
yolculuk hazırlıkları travel preparations
yoğun busy
yüksek lisans master's degree
yükseltmek to increase
zorunlu mandatory

Arya, "Sanırım yetiştim. Teşekkür ederim." dedi ve telaşla arabadan indi. Koşarak tren garına gitti. X-ray cihazından geçti. Saniyeler kala en yakın vagona bindi. Trenin düdüğü çaldı ve tren hareket etti.

Yolculuk Başlıyor

Önce pulman vagondan geçti. Bu vagonda sadece koltuklar vardı. Daha sonra yemekli vagondan geçti. Arya, "Akşam üzeri buraya gelebilirim." diye düşündü. Daha sonra örtülü kuşetli vagondan geçti. Burada dört kişilik odalar vardı. Sonra yataklı vagona geldi.

Kendine ait kompartımanı buldu. İçeride iki koltuk vardı. Ayrıca küçük bir masa, küçük buzdolabı, lavabo ve çöp kutusu vardı. Arya, "Küçük ve sevimli bir oda." diye düşündü. Bilgisayarını, kitaplarını ve minik hoparlörünü masanın üstüne koydu. Çantasındaki yiyecekleri buzdolabına koydu. Bu sırada, kondüktör geldi. "Merhaba. Trenimize hoş geldiniz. Biletinizi kontrol edebilir miyim?" dedi. Arya, biletini gösterdi. Kondüktör, "Tek kişi misiniz?" diye sordu. Arya, "Evet, arkadaşım gelmiyor." diye cevap verdi ve ekledi. "Yolculuk tam olarak kaç saat sürüyor?" diye sordu. Kondüktör, "Bir gün ve yedi buçuk saat. Yolumuz bin üç yüz on kilometre uzunluğundadır. Arada molalar veriyoruz. Molalar toplam sekiz saattir. Benim adım Murat. Bu vagonun sorumlusuyum. İyi yolculuklar." dedi. Arya, ona teşekkür etti. Kompartımanın kapısını kapattı. Müzik açtı.

Vocabulary

çöp kutusu / tenekesi
trash can

hoparlör
speakers

Arya, biletini gösterdi.
Kondüktör, "Tek kişi misiniz?" diye sordu.

---

düdük çalmak to whistle
en yakın nearest
hareket etmek to move
kompartıman compartment
hoparlör speakers
kondüktör conductor
kuşetli vagon couchette coach
mola vermek to give a break
müzik açmak to play music
saniyeler kala just seconds before ...
sorumlu the person in charge
sürmek to last
tam olarak exactly
telaşla hastily, hurriedly
vagon coach (of a train)
X-ray cihazı X-ray machine
yataklı vagon sleeping car
yetişmek to catch (e.g. a bus)
yolculuk journey, travel

Haritada trenin rotasına baktı. Ankara, Kayseri, Sivas, Erzincan, Erzurum ve Kars şehirlerini işaretledi.

Arya, akşam kompartımandan çıktı. Yanındaki kompartımanda orta yaşlı bir kadınla karşılaştı. Arya ona, "İyi yolculuklar." dedi. Kadın, "Size de iyi yolculuklar." diye cevap verdi. Onun yanındaki iki odada gençler vardı. Koridorun sonunda genç bir adam gördü. Adamın omzunda büyükçe bir karga vardı. Arya, "Karga besleyen bir adam. İlk defa görüyorum. Çok ilginç." diye düşündü.

Arya, yemekli vagona gitti. Pencere kenarına oturdu. Yolcular vagonu doldurmaya başladılar. Arya, yemek siparişi verdi. Bir süre sonra, karga besleyen adam geldi. "Merhaba. Diğer masalar dolu. Burada oturabilir miyim?" diye sordu. Arya, "Tabii." diye cevap verdi. Genç adam, "Ben Deniz. Bu da kargam Gece." dedi. Arya gülümsedi ve "Ben de Arya. Gece'nin tüyleri çok güzel görünüyor." dedi. Deniz, "Buna sevindim. Çünkü birçok insan ondan korkuyor." dedi. Gece'ye yemesi için mısır ve ceviz verdi. Gece, hepsini yedi.

Arya, "Neden karga besliyorsun?" diye sordu. Deniz, "Bu benim kararım değil. Yavruydu. Her gün odamın penceresine geldi. Ben de besledim. Sonra pencereden içeri girmeye başladı. Pencerede onun için küçük bir kapı yaptım. İstediği zaman giriyor ve çıkıyor.

Vocabulary

mısır
corn

ceviz
walnut

fındık
hazelnut

Gece'ye yemesi için mısır ve ceviz verdi.

---

beslemek to feed
bir süre sonra after a while
ceviz walnut
doldurmak to fill
gençler young people
gülümsemek to smile
harita map
işaretlemek to mark
karar decision
karga crow
karşılaşmak to meet, to run into
mısır corn
orta yaşlı middle-aged
trenin rotası train route
tüy feather
yavru baby; young animal
yemek siparişi vermek to order food

Şimdi ailemin yanına gidiyorum. Ona bakacak bir arkadaş bulamadım. Bu yüzden benimle geliyor." dedi. Yemeklerini bitirdiler ve vagona gittiler.

Arya, kompartımanının kapısını açık bıraktı. Alçak sesle müzik dinlemeye başladı. Hem kitap okudu hem manzara seyretti. Dışarıda her yer beyazdı. Bu sırada, bir genç kız açık kapıya vurdu. "Merhaba. Biz gitar çalmak istiyoruz. Sizin için sorun olur mu?" diye sordu. Arya, "Hayır, sorun olmaz. Hoşuma gider." dedi.

Gençler gitar çalmaya başladılar. Kondüktör Murat, onlar için elektrik kablosu getirdi. Müziğin sesi daha güzel oldu. Vagondaki herkes müziği çok sevdi. Arya herkesle tanıştı ve sohbet etmeye başladı. Yanındaki kadının adı Sultan'dı. Gençlerin isimleri Elif, Can ve Alper'di. Üçü de çok neşeli, sempatik ve konuşkandı. Herkes birbirine çay, kahve ve yiyecek ikram etti. Gece olunca kompartımanlarına döndüler.

Arya, kompartımanının kapısını ve perdeyi kapattı. Kuşetini açtı. "Çarşaf ve yastık mis gibi kokuyor. Her şey çok temiz." diye düşündü. Pijamasını giydi. Yatağa uzandı. Perdeyi açtı. Trenin ritmik sesini dinledi. Uyumaya başladı.

Sabah

Sabah erkenden uyandı. "Bu saatte manzara çok daha güzel oluyor." diye düşündü. Kar manzarası muhteşemdi.

Vocabulary

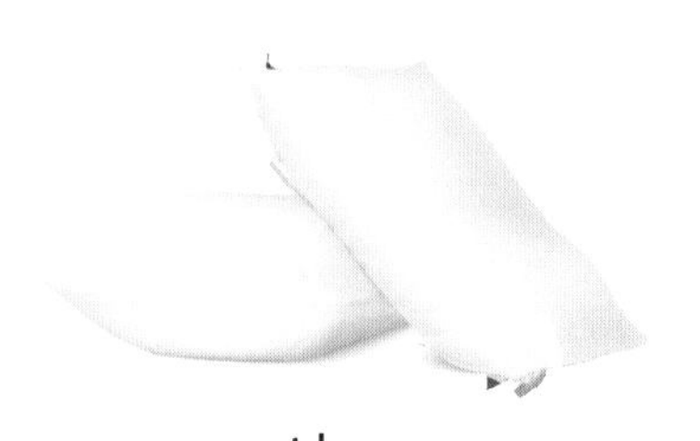

yastık
pillow

kar manzarası
snowy scenery

Gençler gitar çalmaya başladı.
Kondüktör Murat, onlar için elektrik kablosu getirdi.

---

açık bırakmak to leave open
alçak sesle in a low voice
bakmak to look after
bu yüzden that's why
çarşaf bed sheet
dönmek to return, to go back
düşünmek to think
erkenden early
gitar çalmak to play the guitar
ikram etmek to offer
kapıya vurmak to knock on the door
kar snow
konuşkan talkative
manzara scenery, view
mis gibi very clean and smelling sweet
muhteşem wonderful
perde curtain
sohbet etmek to talk, to converse
tanışmak to meet, to know one another
uyumak to sleep
uyanmak to wake up
yastık pillow
yiyecek food

Beyaz dağların, ormanların, göllerin yanından geçtiler. Keyifle kahvaltı yaptı. Bir süre kitap okudu. Bu sırada, Elif'in sesini duydu. Elif yüksek sesle, "Deniz! Deniz! Gece koridorda yürüyor." diye bağırdı. Arya, kompartımandan dışarı çıktı. Gece, kısa süre uçtu. Deniz'in kapısının önünde durdu. Bu sırada Deniz ve Sultan Hanım vagona girdi. Gece'yi görünce çok şaşırdılar. Deniz, "Biz yemek vagonundaydık. Gece kompartımandaydı. Nasıl dışarı çıktı? Anlamıyorum." dedi. Gece, Deniz'in omzuna uçtu.

Arya, Elif'e, "Ne yapıyorsun?" diye sordu. Elif, "Kars hakkında kitap okuyorum. Yapacaklarımızı planlıyorum." dedi. Arya, "Bana da anlatır mısın?" diye sordu. Elif, "Tabii." dedi. Arya, Can, Alper onu dinlemeye başladı. Gece de yanlarına geldi. Elif hem okudu hem anlattı. "Kars, 'Dünya Kenti', 'Bin bir Kilise' ve 'Kırk Kapılı Şehir' diye tanınır. Ani arkeoloji alanı (ören yeri), UNESCO Dünya Miras Listesi'ndedir. Burada yirmi tane yapı vardır. Ani Katedrali'ni, ilk Türk camisi Ebul Menucehr'i, Amenaprgiç Kilisesi'ni, Dikran Honentz Kilisesi'ni, Abugamir Pahlavuni Kilisesi'ni, Selçuklu Sarayı'nı ve birçok yapıyı görebilirsiniz. Kars önemli bir turizm merkezidir. Çıldır Gölü kış mevsiminde donar. İsterseniz atlı kızaklarla gezinti yapabilirsiniz. Donmuş gölde balık avlayabilirsiniz. Yöresel yemekleri ve dünyaca ünlü peynirleri tadabilirsiniz.

Vocabulary

orman
forest

göl
lake

cami
mosque

Arya, kompartımandan dışarı çıktı. Gece, kısa süre uçtu. Deniz'in kapısının önünde durdu.

alan area
anlatmak to tell, to explain
atlı horse-drawn
balık avlamak to catch fish
dağ mountain
donmak to freeze
donmuş frozen
dünyaca ünlü world-famous
gezinti yapmak to go for a ride
göl lake
hakkında about
keyifle with pleasure
kızak sled
kış mevsimi winter season
merkez centre
orman forest
önemli important
peynir cheese
tanınmak to be known for
tatmak to taste
yapı structure
yöresel yemek traditional food
yüksek sesle loud

Can da "Kars'ta kışın hava çok soğuktur. Sık sık bal ve pekmez yemelisiniz." dedi. Alper, "Ben neden doğuya gidiyorum biliyor musunuz?" diye sordu. Elif, "Bilmiyoruz." diye cevap verdi. Alper, "Gizemler hep doğudadır." dedi. Arya, "Gizemli bir yolculuğu kim istemez?" diye sordu. Kimse cevap vermedi.

Kayıp Yüzük

Bu sırada, Sultan Hanım'ın sesini duydular. Sultan Hanım yüksek sesle, "Bulamıyorum! Hiçbir yerde yok." dedi. Arya, Elif, Can ve Alper onun yanına gittiler. Arya, "Neler oluyor?" diye sordu. Sultan Hanım, "En değerli yüzüğümü kaybettim. Arıyorum fakat bulamıyorum. Belki de çaldılar." dedi. Arya, "Bu vagonda sadece biz varız. Bence kimse hırsızlık yapmadı." dedi. Elif, "Aramaya devam edebiliriz." dedi. Can, "Yemekli vagonu kontrol edebiliriz." diye ekledi. Alper bir süre düşündü. "Bence bir hırsız çalmış olabilir. Murat Bey'e haber vermeliyiz." dedi. Can ve Deniz, yemek vagonuna gittiler.

Hepsi yüzüğü aradı fakat bulamadılar. Bu çok tatsız bir olaydı. Vagondaki herkes çok sessizdi. Sultan Hanım çok üzgündü. Murat Bey, Sultan Hanım'a "Polis çağırmak ister misiniz?" diye sordu. Sultan Hanım, "Hayır istemem. Çünkü sadece yüzüğüm kayıp. Param ve kolyem burada." dedi.

Vocabulary

yüzük
ring

kolye
necklace

ya, "Neler oluyor?" diye sordu. Sultan Hanım, "En değerli yüzüğümü kaybettim. Arıyorum fakat bulamıyorum. Belki de çaldılar." dedi.

---

bal honey
çalmak to steal
dal branch
devam etmek to continue
değerli valuable
doğu east
eklemek to add
gizem mystery
gizemli mysterious
hırsızlık theft
kaybetmek to lose
kayıp lost
kışın in the winter
kolye necklace
olay incident
pekmez molasses
sessiz silent, quiet
sık sık often
tatsız unpleasant
yolculuk journey
yüzük ring

Arya, kompartımanında kitap okumaya ve müzik dinlemeye devam etti. Bu sırada Deniz'in sesi duyuldu. Deniz, "İnanamıyorum, olamaz! Yaramaz karga! Çok yaramazsın." dedi. Deniz, omzundaki kargayla dışarı çıktı. "Suçlu benim kargam." dedi. Sultan Hanım, "Karga mı?" diye sordu. Murat geldi ve "Bir karga suçlu olamaz." dedi.

Mutlu Son

Deniz, "Evet, benim kargam Gece suçlu." dedi. Avucunu açtı. Deniz'in avucunda bir anahtar, gümüş bir düğme, bir gazoz kapağı, bir misket ve Sultan Hanım'ın yüzüğü vardı. Deniz, "Gece, küçük ve parlak objeleri çok sever." dedi. Deniz, Sultan Hanım'a yüzüğünü verdi. Bu sırada Arya, "Anahtar benim." dedi. Hepsi gülmeye başladı. Gece'nin bunları nasıl aldığını anlayamadılar. Böylece, bu gizemli olay, mutlu sonla bitti.

Kalan zamanlarında sohbet ettiler, şarkı söylediler ve müzik dinlediler. Kars'ta yeni ve gizemli serüvenler onları bekliyor.

Deniz, omzundaki kargayla dışarı çıktı. "Suçlu benim kargam." dedi. Sultan Hanım, "Karga mı?" diye sordu.

---

avuç palm
beklemek to wait
bitmek to end
duymak to hear
duyulmak to be heard
inanmak to believe
kalan remaining
karga crow
mutlu son happy ending
müzik dinlemek to listen to music
serüven adventure
sohbet etmek to talk, to converse
şarkı söylemek to sing
suçlu guilty; culprit
yaramaz naughty
zaman time

Comprehension Quiz

Quiz 1 Answer the following questions.

1. Bu gezi hangi mevsimde oldu?
2. Arya, geziye hangi şehre gitti?
3. Arya geziye kiminle gitti?
4. Arya tren istasyonuna nasıl gitti?
5. Yolculuk tam olarak kaç saat sürüyor?
6. Karganın adı ne?
7. Elif ne hakkında kitap okuyor?
8. Sultan Hanım'ın yüzüğünü kim aldı?

Quiz 2 Choose the correct answer.

1. Demir neden geziye gelemiyor?
   A) Çünkü hasta
   B) Çünkü dersi var.
   C) Çünkü trenle seyahati sevmiyor.
   D) Çünkü çok yorgun.
2. Arya geziye nereye gitti?
   A) Ankara'ya
   B) Kayseri'ye
   C) Kars'a
   D) Sivas'a
3. Arya, yemekli vagonda kiminle tanıştı?
   A) Deniz'le
   B) Elif'le
   C) Alper'le
   D) Murat'la
4. Arya, kompartımanında kaç kişiyle birlikte kaldı?
   A) 4 kişiyle
   B) 2 kişiyle
   C) 3 kişiyle
   D) Yalnız
5. Yolcuların hangisi yüzüğünü kaybetti?
   A) Sultan
   B) Alper
   C) Can
   D) Elif

Grammar Quiz

Quiz 1 Choose the correct answer.

1. Biraz acelem ________. Daha sonra görüşebilir miyiz?
   A) var B) yok C) et

2. Bu sabah trafik çok yoğun. Otobüsle ________ işe daha çabuk ulaşırım.
   A) gittim B) gidersem C) gideceğim

3. Yiyecekleri taze ________ buzdolabına koymamız gerekir.
   A) kalacak B) kalmak için C) kalsın diye

4. 'Lütfen alçak ________ müzik dinle. Konsantre olamıyorum.'
   A) sesle B) sesi C) sesin

5. Çocuklar tatile gitmek için çok heyecanlıydılar. ________ sabah çok erken uyandılar.
   A) Aslında C) Buna rağmen C) Bu yüzden

6. Pazar günü çok keyifli bir kahvaltı ________ sonra göl kenarında yürüyüş yaptık.
   A) yaptıktan C) yapıp C) yaparak

Quiz 2 Correct the words written in bold.

1. Otobüste **yolcuları** sıcak içecek ve kek ikram ettiler.
2. Her akşam yarım saat kitap okuduktan sonra **yatmak** giderim.
3. Üç **kişi** yemek siparişi vermek istiyorum.
4. Telefonu bulamıyorum. Her **yeri** baktım ama hiçbir yerde yok.

Vocabulary Quiz

Quiz 1 Write the words for the pictures.

1. ç __________
2. k __________
3. b __________

Quiz 2 Match the words on the left with their English equivalents on the right.

1. koltuk	___ a. to add
2. hoparlör	___ b. walnut
3. karga	___ c. seat
4. tüy	___ d. silver
5. mısır	___ e. speakers
6. ceviz	___ f. feather
7. inanmak	___ g. crow
8. yaramaz	___ h. corn
9. eklemek	___ i. to believe
10. gümüş	___ j. naughty

Quiz 3 Complete the sentences with the correct words in brackets.

1. Yolculuk hazırlıklarını henüz ________. (başladım/tamamladım)
2. ________ tatili pazartesi günü başlıyor. (Sömestir/Seyahat)
3. Bir kaza olduğu için trafik ________. Bu yüzden, ışıklarda uzun süre bekledik. (azaldı/tıkandı)
4. Çok ________. Çünkü bu akşam doğum günü partim var. (öfkeliyim/heyecanlıyım)
5. Trenimiz 20 dakika sonra hareket edecek. Bu yüzden, ________ etmeliyiz. (çabuk/acele)
6. Dün akşam, partide herkesle tanıştım ve ________ ettim. (yarış/sohbet)

Quiz 4 Find the following words in the wordsearch.

tüy	karga	vagon	acele	yolculuk
tıkanmak	bilet	koltuk	bavul	kazak

D	G	B	C	S	J	I	T	A	F
B	A	V	U	L	J	M	I	V	T
N	C	Q	V	G	Y	N	K	E	R
Q	E	V	A	G	O	N	A	K	K
D	L	I	W	Z	L	O	N	S	A
K	E	B	A	T	C	G	M	J	Z
G	F	İ	G	Ü	U	T	A	A	A
M	M	L	R	Y	L	B	K	Z	K
O	Y	E	A	K	U	T	L	O	K
I	Q	T	K	U	K	K	X	T	M

Cevap Anahtarı (Answer Key)

Comprehension Quiz

Quiz 1

1. Bu gezi hangi mevsimde oldu?
   Bu gezi **kış** mevsiminde oldu.
2. Arya, geziye hangi şehre gitti?
   Arya, **Kars'a** gitti.
3. Arya geziye kiminle gitti?
   Arya geziye **yalnız/tek başına** gitti.
4. Arya tren istasyonuna nasıl gitti?
   Arya tren istasyonuna **taksiyle** gitti.
5. Yolculuk tam olarak kaç saat sürüyor?
   Yolculuk **bir gün ve yedi buçuk saat** sürüyor.
6. Karganın adı ne?
   Karganın adı **Gece**.
7. Elif ne hakkında kitap okuyor?
   Elif, **Kars** hakkında kitap okuyor.
8. Sultan Hanım'ın yüzüğünü kim aldı?
   Sultan Hanım'ın yüzüğünü **Gece** aldı?

Quiz 2

1. B 2. C 3. A 4. D 5. A

Grammar Quiz

Quiz 1

1. A 2. B 3. C 4. A 5. C 6. A

Quiz 2

1. Otobüste **yolculara** sıcak içecek ve kek ikram ettiler.
2. Her akşam yarım saat kitap **okuduktan** sonra yatmaya giderim.
3. Üç **kişilik** yemek siparişi vermek istiyorum.
4. Telefonu bulamıyorum. Her **yere** baktım ama hiçbir yerde yok.

Vocabulary Quiz

Quiz 1

1. çorap 2. kazak 3. bavul

Quiz 2

1 c 2 e 3 g 4 f 5 h 6 b 7 i 8j 9 a 10 d

Quiz 3

1. tamamladım 2. Sömestir 3. tıkandı

4. heyecanlıyım 5. acele 6. sohbet

Quiz 4

D	G	B	C	S	J	I	T	A	F
B	A	V	U	L	J	M	I	V	T
N	C	Q	V	G	Y	N	K	E	R
Q	E	V	A	G	O	N	A	K	K
D	L	I	W	Z	L	O	N	S	A
K	E	B	A	T	C	G	M	J	Z
G	F	İ	G	Ü	U	T	A	A	A
M	M	L	R	Y	L	B	K	Z	K
O	Y	E	A	K	U	T	L	O	K
I	Q	T	K	U	K	K	X	T	M

Not (Notes)

5

Hayat Ağacı

Balıkesir'in güzel bir dağ köyündeyiz. Çatı Köyü, muhteşem bir doğaya ve manzaraya sahiptir. Burada tarım ve hayvancılık yapılır. Ayrıca zeytinyağı ve halıcılıkla ünlüdür. Küçük şarap fabrikaları vardır. Köy ve çevresi yaz mevsiminde turistlerle dolar. Turistler dağdaki tesislerde konaklarlar. Köyü ziyaret ederler. Çatı Köyü, kış mevsiminde çok tenha olur.

Sibel ve Tayfun bu köyde doğdular. Sibel üniversitede grafik tasarım, Tayfun ziraat mühendisliği okudu. İkisi de köyüne geri döndü ve bu köyde evlendiler. Tayfun, çiftçilik yaptı. Sibel, grafikerlik yapmadı. Ancak kilim atölyesinde çok güzel kilimler dokudu. Bu kilimler dünyadaki birçok ülkeye satıldı. Çok uzun yıllardan beri bu köyde yaşıyorlar. Artık altmış yaşlarını geçtiler.

Sibel ve Tayfun'un bir çiftlik evi var. Bu çiftlikte bir ev, bir kilim atölyesi ve küçük bir ahır var. Bir at ve bir köpek besliyorlar. Bir gün Sibel, "Artık kilim dokuma işi yapmıyoruz. Atölye boş duruyor." dedi. Tayfun da, "Kilim dokumak çok yorucu bir iş. Artık yapmamalısın." dedi. Sibel, "Peki atölyemiz ne olacak?" diye sordu. Tayfun, "Satabiliriz." diye cevap verdi. Sibel bir süre düşündü. "Bu atölyeyi bize ailemiz verdi. Yaklaşık yüz elli yaşında. Bizim için çok değerli." dedi. Tayfun, "Benimki sadece bir öneri. Satmak zorunda değiliz." dedi.

Sibel ve Tayfun'un bir çiftlik evi var.
Bu çiftlikte bir ev, bir kilim atölyesi ve küçük bir ahır var.

beslemek to feed; to raise
boş durmak to remain empty or idle
çiftçilik farming
dağ mountain
dokumak to weave
doğa nature
grafik tasarım graphic design
halıcılık carpet business
hayat ağacı the tree of life
hayvancılık raising livestock
kilim atölyesi rug workshop
konaklamak to stay
köy village
manzara view, scenery
öneri suggestion
şarap fabrikası winery
tarım agriculture
tenha uninhabited, desolate
tesis facility, premises
yaklaşık approximately
yorucu tiring
zeytinyağı olive oil
ziraat mühendisliği agricultural engineering

Bu sırada telefon çaldı. Tayfun telefonu açtı. Arayan torunları Nora'ydı. Nora, "Dedeciğim merhaba. Arkadaşlarım çiftliğimizi çok merak ediyorlar. Hafta sonu onları çiftliğimize getirebilir miyim?" diye sordu. Tayfun, "Tabii ki getirebilirsin." diye cevap verdi. Sibel bu habere çok sevindi.

Ertesi sabah Nora, Sera ve Gürgen'le birlikte çiftliğe geldi. Hep birlikte bahçede kahvaltı yaptılar. Nora, arkadaşlarına çiftliği gezdirdi. Bahçede çok güzel ağaçlar ve çiçekler vardı. Atı ve köpeği çok sevdiler. Onlarla oynadılar ve çok eğlendiler. Sonra kilim atölyesine gittiler.

Kilim atölyesi çok temiz ve düzenliydi. Taş duvarlarda desenli kilimler asılıydı. Nora, spot lambaları açtı. Sera, "Rengarenk kilimler ne kadar güzel." dedi. Gürgen, "Daha önce bir kilim atölyesi görmedim. Çok mistik bir yere benziyor." dedi. Nora, "Bu atölyeyi yüz elli yıl önce dedemin babası yaptı. Eskiden burada birçok kişi çalışırdı. Fakat artık kilim dokumuyoruz." dedi. Bu sırada Sibel içeri girdi. "Nasıl, beğendiniz mi?" diye sordu. Sera, "Evet, hem de çok." dedi.

Gürgen, kilim dokuma tezgâhına ve yanındaki araç gereçlere baktı. Gürgen, "Bunlar ne işe yarıyor?" diye sordu. Sibel anlatmaya başladı. "Biz kilim ve halıları, tamamen doğal malzemelerle yaparız. Koyunların yününden iplik elde ederiz. Bazen de ipek kullanırız.

Nora, arkadaşlarına çiftliği gezdirdi.

anlatmak to tell, to explain
araç gereç tools and equipment
asılı hanging
benzemek to look like
Bunlar ne işe yarıyor? What are these for?
bu sırada meanwhile
desenli with patterns
düzenli tidy
ertesi sabah the following morning
eğlenmek to have fun
gezdirmek to show somebody around
haber news
iplik thread
elde etmek to get, to obtain
ipek silk
malzemeler materials, ingredients
merak etmek to wonder
spot lambaları spotlights
rengarenk colourful
mistik mystical
tamamen completely
doğal natural
taş duvarlar stone walls
torun grandchild
yün wool

Daha sonra ipliği doğal boyayla boyarız." dedi. Sera, "Doğal boya nasıl yapılır?" diye sordu. Sibel, anlatmaya devam etti. "Ağaç kökleri, çiçekler ve yapraklar kullanırız. Bu boyalar çok dayanıklıdır. Yaptığımız kilim ve halılar çok dayanıklıdır. Yüzyıllarca eskimez. Bu gördüğünüz eşyalar iplik yapımında ve kilim dokumada kullanılır." dedi.

Sera, bir kilime yakından baktı. Sera, "Üzerindeki renkler ve motifler muhteşem. Bu motiflerin bir anlamı var mı?" diye sordu. Sibel, "Tabii ki var." dedi ve anlatmaya devam etti. "Motifler ve renkler, insanların duygu ve düşüncelerini ifade eder. Geyik, kartal, kuş, ejder, hayat ağacı ve yıldız gibi birçok motif ve sembol kullanılır. Hepsinin bir anlamı vardır. Fakat, hepsini anlatmak çok uzun sürer." dedi. Hep birlikte dışarı çıktılar.

Sibel, Tayfun, Nora, Sera ve Gürgen akşam yemeğinde tekrar buluştular. Sibel, "Nora, kilim atölyesini satmayı düşünüyoruz. Sen ne dersin?" diye sordu. Nora, çok şaşırdı. "Neden satmak istiyorsunuz?" dedi. Tayfun, "Artık kilim üretmiyoruz. Atölye hiçbir işe yaramıyor." dedi.

Gürgen, "Bir şey sormama izin verir misiniz?" dedi. Sibel, "Tabii ki, Gürgen. Gençlerin düşüncesi bizim için değerli." dedi. Gürgen, "Neden artık kilim dokumuyorsunuz?" diye sordu.

Vocabulary

kartal
eagle

geyik
deer

ağaç kökleri
tree roots

Sera bir kilime yakından baktı. Sera, "Üzerindeki renkler ve motifler muhteşem. Bu motiflerin bir anlamı var mı?" diye sordu.

anlam meaning
boyamak to dye
dayanıklı durable
değerli valuable
doğal natural
duygu emotion
düşünce thought
eskimek to wear off, to become old
eşyalar things
geyik deer
hayat ağacı tree of life
Hiçbir işe yaramıyor. It is useless.
iplik thread
kartal eagle
kök root
renk colour
üretmek to produce, to manufacture
yakından closely
yaprak leaf
yüzyıllarca for years
yıldız star

Sibel, "İnsanlar artık makine halıları satın alıyor. Bizimkiler doğal ve el emeği olduğu için daha pahalı. Çünkü çok emek ve zaman gerekiyor." diye açıkladı. Nora, "Peki, satın alan kişi ne yapacak?" diye sordu. Tayfun, "Ne isterse... Örneğin bir ev yapabilir." dedi. Nora, bir süre düşündü. "Benim aklımda bir şey var. Fakat önce biraz düşünmem gerek." dedi.

Ertesi gün yeniden bir araya geldiler. Sibel, Tayfun, Nora, Sera ve Gürgen bir masanın etrafına oturdular. Nora, "Ben düşündüm. Atölyede çok güzel kilimler ve birçok antika eşya var. Hepsi de çok değerli. Ben küçük bir müze açmak istiyorum. İçinde bir de küçük kafe olmalı." dedi. Tayfun, "Çok ilginç bir fikir." dedi. Nora heyecanla, "Köyümüze birçok turist geliyor. Müze kafe, insanların çok ilgisini çekebilir." dedi. Sibel, "Çok ilginç ve çok güzel bir fikir." diyerek Nora'yı destekledi. Tayfun, "Peki, nasıl yapacaksın? Bu oldukça zor bir iş." dedi. Nora, "Uzun zamandır bir kafe açmak istiyorum. Bu benim için çok iyi bir fırsat." dedi. Gürgen, "Biz de Nora ile çalışacağız ve ona yardım edeceğiz. Daha sonra şehirdeki yaşamımıza geri dönebiliriz." dedi. Sera, "Hazırlıklara başlamak için sabırsızlanıyorum." dedi.

Kısa zamanda hazırlıklara başladılar. Atölyeyi temizlediler. Antika abajurları ve tüm antika eşyaları tamir ettiler.

Kısa zamanda hazırlıklara başladılar. Atölyeyi temizlediler. Antika abajurları ve tüm antika eşyaları tamir ettiler.

---

abajur lampshade
bir araya gelmek to come together
bir süre for a while
desteklemek to support
el emeği hand work
emek labour, work, toil
ertesi gün the following day
fikir idea
hazırlık preparation
ilginç interesting
kısa zamanda in a short time
oldukça quite, pretty
sabırsızlanmak to become impatient
şehir city
tüm all
tamir etmek to fix, to repair
yaşam life
yeniden again
zor difficult, hard

Duvardaki kilimleri, büyük cam çerçevelerin içine koydular. Sera, halılar ve kilimler hakkında birçok kitap okudu. Sibel'le sohbet etti ve birçok bilgi öğrendi. Çok güzel panolar hazırladı. Bu panolara ilginç bilgiler yazdı. Nora, otantik müzik arşivi hazırladı. Gürgen, özel bir yiyecek ve içecek menüsü hazırladı. Masa, sandalye ve mutfak eşyaları satın aldı. Bütün bu işleri özenle ve titizlikle yaptılar.

Nora, kafenin ismini uzun süre düşündü. Bir gün, "Kafenin ismini buldum. Kafemizin adı Hayat Ağacı olsun. Ben bu ismi çok sevdim. Siz ne dersiniz?" diye sordu. Sibel, "Benim için çok anlamlı. Çok güzel bir isim." dedi. Gürgen, "Hayat ağacı ne demek?" diye sordu. Nora, "Kilim dokuyan her ailenin özel bir motifi vardır. Anneannemin yaptığı hayat ağacı motifi çok güzeldir." dedi. Sera, "Bu ismi ben de çok sevdim. Okuduklarıma göre, hayat ağacının çok güzel bir anlamı var. Hayat ağacı sembolü, dünyadaki birçok kültürde var. Hayatı ve doğa sevgisini anlatır. Ayrıca bereket simgesidir. Sevdiklerimiz için uzun bir hayat dileriz ve bu motifi kullanırız. Tıpkı bir dua ya da tılsım gibi."

Sonunda, müze kafenin açılış günü geldi. Köyde yaşayan herkes müze kafeyi çok beğendi. Nora ve arkadaşlarını tebrik ettiler. Köye gelen her turist müzeyi ziyaret etti. Sera ve Gürgen, köy yaşamını çok sevdi. Onlar da Sibel ve Tayfun gibi, şehirde yaşamaktan vazgeçtiler. Gürgen'in yemekleri çok ünlü oldu.

Sera, turist rehberi oldu. Nora, organizasyonları yaptı. Hepsi işlerini çok sevdi ve çok mutlu oldular. Üstelik yeni bir kilim atölyesi açtılar. Sibel'in yardımıyla bu değerli geleneği sürdürdüler.

Sonunda, müze kafenin açılış günü geldi.
Köyde yaşayan herkes müze kafeyi çok beğendi.

---

anlamlı meaningful
açılış günü opening day
çerçeve frame
tebrik etmek to congratulate
ziyaret etmek to visit
bereket abundance, fertility
bilgi information
cam glass
dilemek to wish
doğa nature
dua prayer
duvar wall
hayat life
özel special
özenle carefully
pano board, notice board
sevdiklerimiz için for our loved ones
sevgi love
simge symbol
sohbet etmek to talk, to converse
titizlikle meticulously
tılsım magic, spell
yiyecek ve içecek menüsü food and drinks menu

Halı ve Kilim Motiflerinin Anlamları

Her motifin mitolojik bir hikayesi ve anlamı vardır.

Çocuk Motifi: Bu motif yaşam enerjisi, masumiyet ve bereket sembolüdür.

Geyik Motifi: Geyik motifi doğa, bilgelik ve yönetme gücünün sembolüdür.

Ejder Motifi: Ejderler yağmur yağdırabilir. Kuraklığa neden olabilir. Bu yüzden ejderlerden korkulur. Ejder motifi, doğa sembolüdür.

Akrep Motifi: Akrep motifi tehlike sembolüdür. Tehlikeden koruduğuna inanılır.

Küpe Motifi: Evlenmek isteyen genç kızlar bu motifi kullanırdı.

Kartal Motifi: Bu motif güç, şans ve adalet sembolüdür.

adalet justice
akrep scorpion
anlam meaning
bereket abundance, fertility
bilgelik wisdom, sagacity
değerli valuable
düşürmek to drop
ejder dragon
gelenek tradition
güç power, strength
inanmak to believe
korumak to protect
kuraklık draught
küpe earring
masumiyet innocence
mitolojik mythological
sürdürmek to maintain
şans luck, chance
tehlike danger
üstelik moreover
turist rehberi tourist guide
yardım help
yağmur yağdırmak to make it rain
yaşam life
yönetme governing

Koçboynuzu Motifi: Koçboynuzu motifi, üretkenlik ve yöneticilik sembolüdür.

El, Parmak ve Tarak Motifleri: Bu motifler kötülükten korunma, doğurganlık ve bereket sembolüdür.

Artı ve Çengel Motifleri: Dört element sembolüdür. Ateş, hava, su ve toprak. Yaşamın sembolüdür.

Göz Motifi: Göz motifinde mavi renk kullanılır. Kötülükten koruduğuna inanılır.

Yıldız Motifi: Bu motif insan yeteneklerinin sembolüdür.

Irmak Motifi: Bu motif dinamizm, canlılık ve hayat sembolüdür.

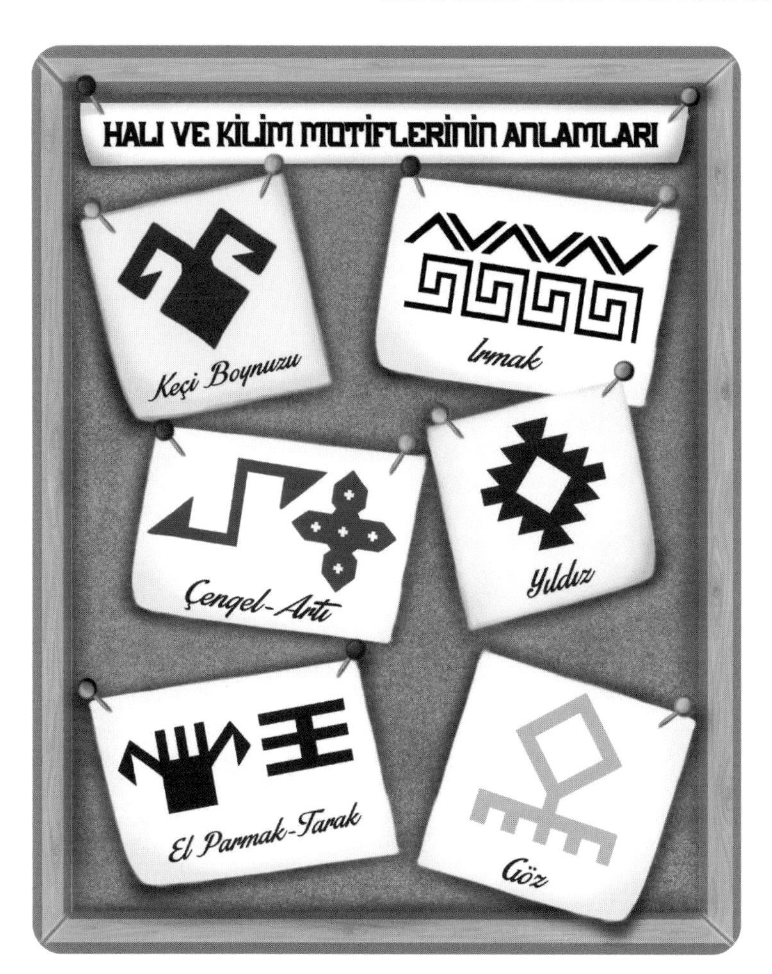

---

artı plus
ateş fire
bereket abundance
dinamizm dynamism
doğurganlık fertility
canlılık liveliness, vitality
çengel hook
göz eye
hava air, weather
hayat life
ırmak river
inanmak to believe
korunmak to be protected
koçboynuzu ram's horn
kötülük evil
tarak comb
toprak soil
üretkenlik productivity
yaşam life
yetenek talent
yıldız star
yöneticilik management, leadership

Comprehension Quiz

Quiz 1 Answer the following questions.

1. Sibel ve Tayfun'un köyünün adı ne?
2. Sibel ve Tayfun hangi hayvanları besliyorlar?
3. Nora, kiminle birlikte çiftliğe geldi?
4. Sera, kilim atölyesinde Sibel'e ne sordu?
5. Sibel ve Tayfun, kilim atölyesini neden satmak istediler?
6. Nora, Sera ve Gürgen kilim atölyesini ne yapmak istedi?
7. Kafeye hangi ismi verdiler?

Quiz 2 Choose the correct answer.

1. Çatı Köyü, kış mevsiminde nasıldır?
   A) Çok tenhadır. B) Çok kalabalıktır.
2. Hayat ağacı sembolü neyi simgeler?
   A) aşkı B) bereketi
   C) barışı D) adaleti
3. Kartal motifi neyin sembolüdür?
   A) bereket B) yaşam enerjisi
   C) doğa D) güç, şans ve adalet
4. Kilim atölyesini neye dönüştürdüler?
   A) resim atölyesine B) kitapçıya
   C) müze kafeye D) bakkala
5. Sera ve Gürgen, köy yaşamını sevdi mi?
   A) Evet B) Hayır

Grammar Quiz

Quiz 1 Complete the sentences with these words.

oynayarak	çalışarak	dinleyerek
yürüyerek	seyrederek	yaparak

1. Düzenli bir şekilde ders ___________ sınavını geçti.
2. Bugün okula ___________ gittim.
3. Taner, müzik ___________ ders çalışır.
4. Cumartesi gününü temizlik ___________ geçirdim.
5. Dün geceyi film ___________ geçirdim.
6. Aydın, bütün boş vaktini oyun ___________ harcıyor.

Quiz 2 Complete the sentences by adding -(y)an/-(y)en to the verbs in bold.

1. Kırmızı jeket **giy**______ kadının adı ne?
2. Bahçece **oyna**______ çocuklar çok mutlu görünüyorlar.
3. Sana **vur**______ çocuk kim?
4. Eve **gel**______ reklam broşürlerini geri dönüşüm kutusuna atıyorum.
5. Bisiklet **kullan**______ çocuk benim arkadaşım.
6. Öğretmen, yüksek sesle **konuş**______ öğrenciye kızdı.
7. Parkta gitar **çal**______ gençlerle sohbet ettim.

Vocabulary Quiz

Quiz 1 Write the words for the pictures.

k______________ y______________ i______________

Quiz 2 Match the words on the left with their English equivalents on the right.

1. köy ___ a. scenery
2. doğa ___ b. to stay for the night
3. manzara ___ c. agriculture
4. tarım ___ d. desolate, secluded
5. fabrika ___ e. to stay idle or unused
6. konaklamak ___ f. for a while
7. tenha ___ g. factory
8. dokuma tezgahı ___ h. nature
9. bir süre ___ i. village
10. boş durmak ___ j. weaving loom

Quiz 3 Complete the sentences with the words below.

herkes	**hazırladı**	**sembolü**
götürdü	**anlamı**	**zamandır**

1. Nora'nın nenesi ve dedesi, uzun ___________ köyde yaşıyorlar.
2. Nora, arkadaşlarını hafta sonu çiftliğe ___________. Çiftliği çok beğendiler.
3. Gürgen, özel bir yiyecek ve içecek menüsü ___________.
4. Hayat ağacı ___________, dünyadaki birçok kültürde var.
5. Köyde yaşayan ___________ müze kafeyi çok beğendi.
6. Kilimin üzerindeki renkler ve motifler muhteşem. Bu motiflerin bir ___________ var.

Quiz 4 Find the following words in the wordsearch.

tenha	**beslemek**	**dokumak**	**köy**	**açılış**
çiftçilik	**manzara**	**anlam**	**hikaye**	

H	İ	K	A	Y	E	G	D	B	A
S	N	K	Ö	Y	O	Ç	O	E	I
S	Y	L	S	A	Y	İ	K	S	D
U	R	J	A	N	S	F	U	L	M
H	U	T	Ç	L	F	T	M	E	A
B	R	E	I	A	L	Ç	A	M	N
R	X	N	L	M	P	İ	K	E	Z
K	R	H	I	S	F	L	N	K	A
C	D	A	Ş	W	R	İ	I	X	R
H	M	J	C	W	M	K	B	I	A

Cevap Anahtarı (Answer Key)

Comprehension Quiz

Quiz 1

1. Çatı Köyü
2. Bir at ve bir köpek
3. Nora, Sera ve Gürgen'le birlikte çiftliğe geldi.
4. Sera, kilim atölyesinde Sibel'e motiflerin anlamını sordu.
5. Çünkü çok emek ve zaman gerekiyor. Ayrıca insanlar artık makine halıları satın alıyor.
6. İçinde kafe olan bir müze yapmak istediler.
7. Hayat Ağacı

Quiz 2

1. A 2. B 3. D 4. C 5. A

Grammar Quiz

Quiz 1

1. çalışarak
2. yürüyerek
3. dinleyerek
4. yaparak
5. seyrederek
6. oynayarak

Quiz 2

1. giyen 2. oynayan 3. vuran 4. gelen 5. kullanan

6. konuşan 7. çalan

Vocabulary Quiz

Quiz 1

1. küpe 2. yaprak 3. iplik

Quiz 2

1. i 2. h 3. a 4. c 5. g 6. b 7. d 8. j 9. f 10. e

Quiz 3

1. zamandır 2. götürdü 3. hazırladı

4. sembolü 5. herkes 6. anlamı

Quiz 4

H	İ	K	A	Y	E	G	D	B	A
S	N	K	Ö	Y	O	Ç	O	E	I
S	Y	L	S	A	Y	İ	K	S	D
U	R	J	A	N	S	F	U	L	M
H	U	T	Ç	L	F	T	M	E	A
B	R	E	I	A	L	Ç	A	M	N
R	X	N	L	M	P	İ	K	E	Z
K	R	H	I	S	F	L	N	K	A
C	D	A	Ş	W	R	İ	I	X	R
H	M	J	C	W	M	K	B	I	A

Dictionary

A

abajur lampshade
acaba I wonder if
acelem var I am in a hurry.
acele quick, quickly
acemi novice, beginner
acil urgent, emergency
aç (aç olmak) hungry (to be hungry)
açık bırakmak to leave open
açık hava müzesi open-air museum
açıklama explanation
açıklama yapmak to make an explanation
açık open
açılış opening
açılış günü opening day
açım I am hungry.
açmak to open
ad name
adam man
adalet justice
adım step
adına in the name of
aferin well done
Afiyet olsun! Enjoy it!
ağaç tree
ağlamak to cry
ağrı kesici painkiller
ağrımak to ache, to hurt
ağrı pain
ağız mouth
ahır barn
ahşap wood, wooden
aile family
ait belonging
Akdeniz Mediterrenean
aklına gelmek to come to mind
aklında in (one's) mind
akrep scorpion
akıllı clever; well-behaved
akşam evening
akşamüzeri towards evening
aktif active
alan area
alan space, area
alet çantası toolbox
alkışlamak to applaud
almak to take, to buy
almak üzere about to take/buy
altıncı sixth
altında under
altı six
altmış sixty
alçak low
alçak sesle in a low voice
alçalmak to descend
alışverişe gitmek to go shopping
alışverişi bitirmek to finish shopping
alışveriş listesi shopping list

alışveriş shopping
ama but
ama ya ...? but what about ...?
anahtar key
ana yol main road
ancak but
anlamak to understand
anlamlı meaningful
anlam meaning
anlatmak to tell, to explain
anlaşmak to agree
anne mother
antikalar antiques
anılar memories
araba car
araba kiralama car rental
arabaya koymak to put in the car
aramak to call; to look for
araç gereç tools and equipment
araç vehicle
arı bee
arıcılık beekeeping
arkadan from behind
arkadaş canlısı friendly
arkadaş olmak to become friends
arka sokak back street
arkasında behind
arkeolog archaeologist
arkeoloji archaeology
arşiv archives
artmak to increase
artık any longer, no longer
artı plus sign
arya aria
arzu etmek to wish
aslında in reality
asılı hanging
asistan assistant
aşağı inmek to go down
aşağıya düşmek to fall down
aşağıya inmek to come down
aşk love
aşkım my love
at horse
at binmek horse riding
atlı
ateş fire
ateş yakmak to make a fire
atkı scarf
atlamak to jump
atlı horse-drawn; horseman
atmak to throw
atmosfer atmosphere
atölye workshop
avlamak to hunt
Avrupa Europe
avuç palm
ay moon; month
ayakkabı shoe
aydınlatmak to enlighten
ayna mirror
aynı same
aynı anda at the same time
ayrıca also, furthermore
ayrılık separation

ayrılmak to leave
ayı bear
az a bit, little
azimli determined, persevering
aziz saint

B

baba father
baca chimney
bagaj car trunk
bağlamak to tie
bağırmak to shout, to scream
bahsetmek to talk about
bahçe garden
bahçe ürünleri gardening products
bahçıvanlık gardening
bahsetmek to mention, to talk about
bakmak to look
bakmak to look after
bakım maintenance
bakım yapmak to maintain
bakır copper
bal honey
balona binmek to go up in a hot-air balloon
balık avlamak to catch fish
balık fish
banyo bath
bardak glass
basamak step; stair
başarmak to succeed
başarılı successful
baş head
başka other
başlamak to begin
başvuru application
başvuru yapmak to apply
başını çevirmek to turn your head
bavul suitcase
bazen sometimes
bazı some
beğenmek to like
beklemek to wait
belki (de) maybe
bence de I think so too
benimki mine
benzemek to look like
benzersiz unique, unparalelled
benzetmek to resemble
beraber together
bereket abundance, fertility
besin food, nutrition
beslemek to feed
beslemek to feed; to raise
beyaz peynir white cheese
beyefendi gentleman
bez bebekler rag dolls
bile even
bilet (satın) almak to buy ticket
bilet ticket
bilet uzatmak to hand out ticket
bilgelik wisdom, sagacity
bilgi information

bilgilendirme informing
bilgisayar computer
bilgisayar mühendisliği computer engineering
bilgisayar oyunu computer games
bilmek to know
bina building
bir anda all of a sudden
bir araya gelmek to come together
biraz a bit, some
biraz daha a bit more
biraz sonra after a while
biraz önce a short while ago
birbirine bakmak to look at each other
birbirlerini each other
bir genç a young person
bir hafta sonra after a week
birikte together
birisi somebody
birkaç several
birkaç tane several pieces
bir koli yumurta a carton of eggs
birlikte together
bir paket makarna a pack of pasta
bir süre for a while
bir süre sonra after a while
bir sürü plenty
bir tane one piece
bir şeyler things
bir şey olmak (something) to happen
bir şey something
bitirmek to finish
bitki plant
bitmek to end
bol plenty
borç debt
boyamak to dye (hair); to paint (wall, etc.)
boyun neck
boş durmak to remain empty or idle
boş empty
böğürtlen blackberry
bölge area
bölüm branch, department
bölüm section
börek pie, pastry
böylece so
böyle like this
bu this
buçuk half
bu arada in the meantime
bugün today
bu kadar this much
bu kez this time
bulaşık washing-up
buluşmak to meet
Bunlar ne işe yarıyor? What are these for?
bunlar these
burada here
burası this place
bu sebeple for this reason, so

bu sırada in the meantime
buyurun Here you are; Please come in.
bu yüzden that's why
buzdolabı refrigerator
büfe buffet; kiosk
bütün whole, all
büyük big
büyük boy big size
büyüleyici impressive
bırakmak to let go, to leave
bıçak knife

C Ç

cam glass
cami mosque
can life
canım sweetheart
canlı live, alive
canlılık liveliness
canlı gibi It's like real/alive.
cep pocket
cesur brave
cevap answer
ceviz walnut
cevap vermek to answer
cihaz equipment, device
çabuk quick, quickly
çadır tent
çağ era
çağrı merkezi call centre
çağırmak to call
çakı pocket knife
çalmak to steal
çalı çırpı brushwood
çalışan employee
çalışkan hard-working
çanak çömlekler earthenware
çanta bag
çaresiz desperate, helpless
çare solution, resort
çarık sandal, drag
çarşaf bed sheet
çark wheel, rotor
çarşı market, bazaar
çatal fork
çatı roof
çay tea
çaydanlık teapot
çay demlemek to brew the tea
çay servisi tea service
çay servisi yapmak to serve the tea
çay tea
çekmece drawer
çekmek to pull
çengel hook
çerçeve frame
çevirmek to turn
çift couple
çiftçilik farming
çilingir locksmith
çiçek flower
çiçek sulamak to water
çikolatalı with chocolate
çocukluk childhood
çok az very little
çok very, much

çorap sock
çömlek atölyesi pottery workshop
çöp rubbish
çünkü because
çıkarmak to take out, to pull
çıkmak to leave, to go out
çıkış exit
çığ **avalanche**
çığlık atmak to scream

D

daha more
daha sonra later, afterwards
dal branch
dalış diving
dalmak to dive
davetsiz uninvited
dayanmak to date back; to endure
dayanıklı durable
dağ mountain
dağılmak to scatter, to get untidy
dede grandfather
değerli valuable
değiştirmek to change
delikanlı lad, young man
demek it means
demir iron
demli (çay) strong (tea)
denemek to try
deniz kenarı seaside
deniz sea
depo elemanı warehouse worker
depo storage
dergi magazine
dergiyi almak to take/buy the magazine
derinlik depth
ders lesson
desenli with patterns
destan saga, epic
desteklemek to support
destek support
detay detail
devam etmek to continue
devrilmek to fall over, to topple
dışarıda outside
dış the outside (of something)
dışında on the outside of
dikkat attention, care
dikkat etmek to pay attention
dikkatli careful
dikmek to sew (dress)
dilemek to wish
dil language
dinamizm dynamism
dini **religious**
dinlemek to listen
dinlemek to listen
diğer malzemeler other stuff
diğer other
diş fırçalamak to brush teeth
diş tooth
doğa nature
doğa sporları nature sports
doğa yürüyüşü nature walk

doğal natural
doğal boya natural paint
doğal yaşam natural life
doğmak to be born; (sun) to rise
doğu east
doğru correct; straight ahead
Doğru olamaz. It can't be true.
doğumlu born in
doğurganlık fertility
dokumak to weave
dokunmak to touch
dokuz nine
dolamak to wrap around
dolap cupboard
dolap fridge
dolaşmak to walk around
doldurmak to fil
dolu full
dolunay full moon
domates tomato
domuz pig
donmak to freeze
dönem period
dönmek to return; to go back
dönüşte on the way back
dört four
dua prayer
durdurmak to stop
durmak to stop, to come to a stop
durum condition, situation
duş shower
duvar wall
duygu emotion
duymak to hear
duyulmak to be heard
düdük çalmak to whistle
düğme button
dünya world
dünyaca ünlü world-famous
Dünya Mirası Listesi World Heritage List
dün yesterday
dürüst honest
düzenlemek to arrange; to tidy up
düzenli tidy
düzine dozen
düşmek to fall
düşünceli pensive, lost in thought
düşünce thought
düşünmek to think
düşürmek to drop something
düşürmek üzere about to drop something

E

ebeveyn parents
efendim sir, madam; Pardon?
efsane legend, myth
ejder dragon
ek additional
ekipman equipment
eklemek to add
ekmek bread
ekmekçi bread baker
eksik missing, lacking

eksiksiz complete, in full
eksik yok Nothing is missing.
el hand
el emeği hand work
el sallamak to wave
elbise clothes
eldiven gloves
eleman worker, employee
eline almak to hold; to handle
elini sıkmak to shake hands
elini yüzünü yıkamak to wash the hands and the face
Eller yukarı! Hands up!
elmas diamond
emek labour, work, toil
emlakçılık real estate business
endişeli anxious, worried
en yakın nearest
erkenci early bird; early comer; early riser
erkenden early
erken early
erken kalkmak to wake up early
erken uyanmak to wake up early
ertesi following, next
ertesi gün the following day
ertesi sabah the following morning
erzak depoları food/supplies storage
eskimek to wear off, to become old
eski old
eski zamanlarda in ancient times
eski çağ ancient
etek skirt
eteğinde on the outskirts of
etki effect
etkilenmek to get affected
etkileyici fascinating
et meat
etrafa bakmak to look around
etraf surroundings, vicinity
etrafta in the vicinity of
evden ayrılmak to leave home
eve gelmek to come home
Evet efendim Yes, madam/sir
evet yes
ev house, home
ev işleri housework
ev işleri yapmak to do housework
evlenmek to marry
evlilik marriage
evlilik teklifi marriage proposal
ezberlemek to memorise
eğlenmek to have fun
eş spouse
eşsiz unique, unmatched
eşya things, stuff
eşyalar things

F

fabrika factory
fantastik fantastic
fark difference
fark etmek to notice

farklı different
farkında aware
farkındayım I am aware.
favori favourite
faydalı beneficial
felaket disaster
fidan sapling , shoot
fikir idea
film afişi film poster
film film, movie
filozof philosopher
fındık hazelnut
fiyat price
fırsat opportunity
fıstık ezmesi peanut butter
fısıltı whisper
flüt flute
Fransızca French
fresk mural, wall painting

G

galiba probably
garip strange
garson waiter, waitress
gazoz fizzy lemonade
gece night
gece manzarası night view
gece vakti night time
geç late
gelenek tradition
gelmek to come
genç young
gençler young people
geri(ye) dönmek to go back
geri geri yürümek to walk bakwards
gerçek gibi like real
gerçek real
gerçekten for real, really
gerçekçi realistic
getirmek to bring
geyik deer
gezdirmek to show somebody around
gezi help
gezinti yapmak to go for a ride
gezi travel, trip
gezmek to travel, to visit
gıda food
gibi like
girmek to enter
giriş entry, entrance
giriş katı ground floor
gitar guitar
gitar çalmak to play the guitar
gitmek to go
giyim clothing
giyim mağazası clothing store
giymek to wear
gizem mystery
gizli secret
gizemli mysterious
gizlice secretly
gişe ticket office
grafik tasarım graphic design
göl kenarı lake edge

göl lake
gömlek shirt
göre according to
görevli attendant, employee
görevli the person in charge, employee, officer
görkemli glorious
görmek to see
görünmek to seem, to look
göstermek to show
götürmek to take (away)
gövde body, tree trunk
göz eye
göz kırpmak to wink
gözetlemek to peek, to watch, to pry into
gözlerini kapatmak to close eyes
gözlük eyeglass
gözlüklü wearing glasses
güç power, strength
gülmek to laugh
güler yüzlü having a smiling face
gülümsemek to smile
gümüş silver
gümüşler silverware
günaydın good morning
gün day
gün doğuşu sunrise, dawn
gün ışığı daylight
güneş sun
güneş saati sundial
güneşli sunny
gürültü noise
güvenli safe
güvenlik security
güvende safe, secure
güvenlik görevlisi security guard
güvenmek to trust
güven trust
güzel beautiful
güzel bir uyku uyumak to have a good sleep

H

haber news
haberleşme communication
hafta week
hakkında about
haklı olmak to be right
haklı right
Haklısın. You're right.
hâlâ still
halı carpet
halıcılık carpet business
halı dükkanı carpet shop
hamam bath
hangi which
hangi renk what colour
hangi seans which session
hangi sıradan which row
hareket movement
hareket etmek to move
hareketli active, lively
harika wonderful
harika görünmek to look wonderful

Harikasın! You're wonderful!
harita map
hasarlı damaged
hastane hospital
hatırlamak to remember
hava aydınlanmak to break (day)
havada in the air
Hava karardı. It got dark.
havalandırma ventilation
hava air, weather
havlamak to bark
hayalet ghost
hayal gücü imagination
hayal kurmak to imagine
hayaller dreams
hayat life
hayat ağacı the tree of life
Hayat normale döndü. Life has returned to normality.
hayatımda in my life
hayatım sweetheart, darling
haydi come on
hayır no
hayranlıkla with admiration
hayran olmak to admire
hayvan animal
hayvanat bahçesi zoo
hayvancılık livestock
hayvancılık yapmak to raise livestock
hazır ready
hazırlamak to prepare
hazırlık preparation
hazır olmak to get ready
hazine treasure
hediye present
hediye paketi gift pack/box
hemen immediately, right away
hemen şurada right there
henüz yet; just now
hep always
hepsi all
herhangi any
her ikisi de both of them
herkes everyone, everybody
herkesle with everybody
her zaman all the time
her şey everything
Her şey tamam gibi Everything seems to be okay.
Her şey tamam mı? Is everything okay?
heyecan excitement
heyecanla excitedly
heyecanlanmak to get excited
heyecanlı excited
heykel statue
hırsız thief
hırsızlık theft
hızla swiftly, quickly
hızlıca quickly
hızlı fast, quick
hissetmek to feel
Hiçbir işe yaramıyor. It is useless.
hiç kimse nobody
hiç nothing, none, not ... any

hobi hobby
hobi atölyesi hobby studio
hoparlör speakers
hoş nice
hoş geldiniz welcome
huzur comfort, peace
huzurlu peaceful

I İ

ırmak river
ısmarlamak to order
ışık **light**
ışıklarda at the traffic lights
iade etmek to return (an item)
içecek drinks
içeriye girmek to enter
içinde in, inside
için for
içmek to drink
ifade statement, expression
ifade etmek to state, to express
... ihtiyacım var. I need ... .
ihtiyaç duymak to need
ihtiyaç need, requirement
ikinci **second**
iki **two**
ikram offer
ikram etmek to offer
ile with
ileri ahead
ilerlemek to keep going
ilgilenmek to be interested in; to deal with
ilginç interesting
ilgisini çekmek to appeal
ilk first
ilk kez for the first time
imkansız impossible
inanmak to believe
inanılmaz incredible
ince ince finely
ince ince kesmek to cut finely
incelemek to examine, to study
indirmek to bring down
İngilize English
inmek to come down
insan human
insan kaynakları human resources
ipek silk
ipek halı silk carpet
iplik thread
iptal olmak to be cancelled
istemek to want
iş work, job
işaret etmek to point at
işaretlemek to mark
işe gitmek to go to work
iş ilanları job adverts
iş ilanı job advert
işlem transaction
iştah appetite
iştahla with great appetite
işte burada here it is
iş work, task, job
iyi good
iyice well, nicely

iz trace
izin permission
izin istemek to ask for permission
izin vermek to give permission

K

kabul acceptance
kabul etmek to accept
kaçmak to escape, to run away
kaç numara what size
kaç tane how many
kaçıncı what number (in order)
kaçırmak to miss
kadın woman
kafe cafe
kaftan caftan
kağıt paper
kahkaha atmak to laugh loudly
kahkaha laughter
kahraman hero
kahvaltı breakfast
kahvaltı hazırlamak to prepare breakfast
kahvaltı yapmak to have breakfast
kahvaltı zamanı breakfast time
kahvaltılık breakfast food
kalan remaining
kaldırmak to move up; to lift
kalmak to stay, to remain
kalın thick, warm (for clothes)
kalkmak to stand up; to get up
kamp alanı camping site
kanca hook
kantin canteen, cafeteria
kantin görevlisi canteen worker
kapak lid, cover
kapalı closed
kapatmak to close
kapı door
kapıya vurmak to knock on the door
Kapıyı kilitle! Lock the door!
kapıyı açmak to open the door
kapıyı kapatmak to close the door
kar snow
karanlık dark, darkness
karar decision
karar vermek to decide
kararmak to get dark
kararsız undecided
kardeş sibling
karga crow
karı wife
karın belly, abdomen, stomach
karlı snowy
karşılamak to cover (expenses)
karşılaşmak to meet, to run into
karşısında opposite
kart card
kartal eagle
kasa till
kasap butcher
kasiyer cashier
kaşık spoon
kat floor, storey
katedral cathedral
katılmak to attend

kavanoz jar
kaya rock
kayak skiing
kayakçı skier
kaybetmek to lose
kaybolmak to get lost
kayıp lost
kaymak to ski; to slide
kazak jumper
kazanmak to win, to earn
kedi cat
kendi kendine by oneself; on one's own; to himself/herself
kendi kendine konuşmak to talk to oneself
kendiniz yourself
kesici cutter
kesmek to cut
kenar edge
kent city
keşfetmek to discover
keşif discovery
keyifle with pleasure
keyifli pleasant, cheerful
kez time(s) **ilk kez** first time
kımıldamak to move
kırmızı red
kısık ateş low heat
kısa short
kırk forty
kısa zamanda in a short time
kış günü winter day
kış mevsimi winter season
kış winter
kışın in the winter
kıyı shore, coast
kız girl
kızak sled
kızmak to get angry
kızarmış grilled
kızmak to get angry
kil clay
kilim atölyesi rug workshop
kilitlemek to lock
kilitli locked
kim who
kime to whom
kitap book
kitaplık bookcase
kişi person, someone
kişisel gelişim personal development
koca husband
kocaman enormous
koçboynuzu ram's horn
kolay easy
koltuk armchair
koltuk numarası seat number
kolundan tutmak to hold one's arm
kolye necklace
kompartıman compartment
komşu neighbour
kondüktör conductor
konik conic
kontrol etmek to check, to control
konaklamak to stay

konser vermek to give a concert
konserve canned food
konuşkan talkative
konuşmak to talk, to speak
korkmak to be scared
korkuyla with fear
korumak to protect
korunmak to be protected
koşmak to run
kova bucket
kovalamak to chase
koymak to put
koyun sheep
köfte meatball
kök root
kömür coal
köpek dog
köpekçik puppy
köpüklü frothy
kötülük evil
köy village
kucağına almak to take on one's lap
kucak lap
kullanmak to use
kurabiye cookies
kuraklık draught
kurgusal olmayan non-fiction
kurmak to set, to establish
kurtarmak to save, o rescue
kuş bird
kuşetli vagon couchette coach
kutu box
kuyu well
küçük small
kültür culture
küpe earring
kütüphane library

L

lamba lamp
lastik tyre
lav lava
lavabo sink; bathroom; toiler
lazım necessary
lezzetli delicious
limonata lemonade
liste list
lütfen please
leziz delicious
lise high school

M

maalesef unfortunately
macera adventure
makine machine
makine mühendisi mechanical engineer
makine mühendisliği mechanical engineering
malzemeler materials, ingredients
manav greengrocer
mangal barbecue
mangalı yakmak to light the barbecue
mango suyu mango juice
manzara scenery, view
marangozluk carpentry
market convenience store

market arabası shopping trolley
marul lettuce
masa table
masal tale, story
maske takmak to wear a mask
masraf expense
masum innocent
masumiyet innocence
maydanoz parsley
maydanozlu including parsley
maymun monkey
mazgal loophole
mağara cave
mekan place
memnun pleased, glad
-mek/mak üzere about to do something
menü menu
merak curiosity
merak etmek to wonder; to worry
merdiven ladder
merhaba hello
merkez centre
mesafe distance
meslek profession
meşgul busy, unavailable
meyve fruit
mezar grave
mısır corn
mide stomach
minik [illegible]
milyonlarca millions of
minder floor cushion
minnettar grateful
miras inheritance, legacy
misafir guest
misafir etmek to put somebody up
mis gibi very clean and smelling sweet
mistik **mystical**
mitolojik mythological
miyavlamak to meow
mobilya furniture
model model, style
modernlik modernity
mola break
mola vermek to give a break
mont overcoat, winter jacket
muayene examination
muhteşem wonderful
mum candle
mutfak kitchen
mutlaka absolutely, certainly
mutlu happy
mutlu son happy ending
mutlu yıllar happy new year; happy birthday to you
muz banana
müdür manager
müşteri customer
müze museum
müzik açmak to play music
müzik dinlemek to listen to music

N

nakit cash; in cash
nasıl how
Nasıl yardımcı olabilirim? How can I help?
ne what

neden why
neden (sebep) reason
nefis delicious
nehir river
Neler oluyor? What's happening?
nerede where
nereden from where
nesne object
neşe joy
neşeli joyful, cheerful
normal normal
numara number
not grade, mark

O Ö

ocak cooker; January
oda room
odadan çıkmak to leave room
okul masrafları school expenses
oksijen oxygen
okşamak to pet
okumak to read
Olamaz Impossible! No way!
olay incident
oldukça quite, pretty
olta fishing rod
olumsuz negative
oluşmak to be formed
omlet omelette
omletsiz without omelette
omuz shoulder
onaylamak to approve
onlar they
onun için for him/her
orada there
oraya to there
orman forest
ormanlık alan woodland
orta(-lar) middle
ortada in the middle
orta yaşlı middle-aged
otel hotel
oturmak to sit
oynamak to play
oyuncak toy
ödeme payment
öğle noon
öğlen at noon
öğleden önce a.m. , before noon
öğleden sonra p.m. , afternoon
öğrenmek to learn
öğrenci student
öğretmek to teach
öğün meal
önden gitmek to go ahead
önemli important
öneri suggestion
önlük apron
örtü sermek to lay e.g. a tablecloth, a rug
önünde in front of
öyle so, such, like that
Öyle değil mi? Don't you think so?/ Don't you agree?
öykü story
öykü yazarı story writer
özel özel
özellik feature
özellikle especially
özenle carefully

özgün unique, original
özlemek to miss

P

pahalı expensive
paketi açmak to open the parcel
panik içinde in panic
pano board, notice board
pantolon trousers
para money
parayı uzatmak to hand out the money
parça piece, part
parlamak to shine
parlak bright, shiny
park etmek to park
parmak finger
pasta cake
pasta malzemeleri cake ingredients
pastacılık the profession of cake making
patlamak to burst, to blow out
paylaşmak to share
Pazar Sunday
pazar market
peki okay, alright
Peki ya ben? What about me?
Peki efendim Okay, madam/sir
pekmez molasses
pelikan pelican
pencere window
perde curtain
peynir cheese
peynirli with cheese
peri fairy
pikniğe gitmek to go for a picnic
piknik picnic
piknik alanı picnic area
piknik sepeti picnic basket
pişirmek to cook
plan yapmak to make a plan
popüler popular
poşet plastic bag
prenses princess
profesyonel professional
prova rehearsal

R

raf shelf
rahat comfortable
rahip monk
ray rail
reçel jam
reçel sürmek to spread jam
rehber guide
rehin almak to take hostage
reklam advertisement
rengarenk colourful
restoran restaurant
reyon department
reyon görevlisi department attendant
rezervasyon reservation, booking
rica etmek to request
renk colour
roman nove
rota route
rüzgar wind

S Ş

saat clock, watch; time
saate bakmak to check the time
Saat çok ilerledi. Time has passed/ got on.
sabah morning
sabırsızlanmak to get impatient
saç hair
sade plain, simple
sadece only, just
sağ right
sahil coast, shore
sakal beard
sakin quiet
sakin olmak to be calm
saklanmak to hide
salam salami
salata salad
salatalık cucumber
salon hall
salon numarası hall number
(berber) salonu barbershop
sanat tarihi art history
sanatçı artist, performer, craftsman
sanırım I think
saniye second
saniyeler kala just seconds before ...
sanki as if
sanmak to think, to assume
sarsıntı quake, shake
sarmak to wrap; to hug
sarılmak to hug
satmak to sell
satıcı seller
satılmak to be sold
satın almak to buy
satın alma asistanı purchasing assistant
satış görevlisi sales assistant
sayfa page
seans session
seçenek option
sehpa coffee table
sen you
sence in your opinion
senin için for you
sepet basket
sergilemek to put on display
sermek to lay, to spread over
serin hava cool weather
serüven adventure
ses sound
sesler sounds, noises
seslenmek to call out to
sessiz silent, quiet
sessizce quietly
sessizlik silence, quiet
sevdiklerimiz için for our loved ones
sevecen amicable
sevgi love
sevimli cute, nice
sevinçli happy, cheerful
sevinmek to become happy
sevmek to like, to love
seyahat etmek to travel
seyretmek to watch
sıcak hot
sık sık often

sıkmak to tighten
sıkılmak to get bored
sınav exam, assesment
sıra row, queue
sırada in the queue
Sırada ne var? What's next?
sırlarla dolu full of mysteries
sıvı liquid
silah weapon
simge symbol
sincap squirrel
sinema cinema
sinirlenmek to get angry
sipariş order
sipariş vermek to order
sistem system
sivri pointed, sharp
siyah black
siz you
sizin için for you
soğuk cold
soğuk algınlığı common cold
sohbet conversation
sohbet etmek to talk, to converse
sona ermek to end
sonra then, later, afterwards
sonunda in the end
sormak to ask
sorumlu the person in charge
soru question
sorun problem, matter, issue
sosis sausage
spor sports
sönmek (light, fire) to go out
söylemek to tell, to say
söz vermek to promise
spot lambaları spotlights
su water
su kuyuları water wells
sulamak to water, to irrigate
susmak to to be quiet
suçlu guilty; culprit
sürdürmek to maintain
süre duration
sürmek to last
sürpriz surprise
sürpriz yapmak to surprise
sütunlar columns, pillars
şair poet
şaka joke
şaka yapmak to joke
şakacı joker
şanslı lucky
şapka hat
şapkalı wearing a hat
şarap wine
şarap fabrikası winery
şaşırmak to be surprised
şaşkın confused, puzzled
şaşkınlık astonishment
şef chef; supervisor, chief
şehir city
şema outline, sketch, drawing
şezlong sunbed
şalr poet
şarkı söylemek to sing
şifre cypher, password
şimdi now
şişe bottle

şoför driver
şu an now
şu an için for now
şunlar those

T

tabağa koymak to put on the plate
tabak plate
tabela signboard
tabii ki of course, for sure
tahta wood, wooden
takım elbise suit
takmak to wear, to put on
takip etmek to follow, to track
taksi taxi
tamam okay
Tamam o zaman. All right then.
tamamen completely
tam bu sırada just then
tamir etmek to fix, to repair
tamirci mechanic, repairman
tam olarak exactly
tam zamanlı full time
tane piece
tanımak to know, to recognize
tanınmak to be known for
tanıtım introduction, promotion
tanışmak to meet, to know one another
tarak comb
tarif recipe
tarif etmek to describe
tarih history
tarihi historical
tarım agriculture
tasarım design
taş duvarlar stone walls
tat taste
tatil holiday
tatlım sweetheart
tatmak to taste
tatsız unpleasant
tava frying pan
tavuk chicken
taze fresh
taze gıda fresh food
tebrik etmek to congratulate
tehlike danger
tehlikeli dangerous
tek başına alone
tek tek one by one
tekerlek tyre
teklif offer, proposal
teklif etmek to offer, to propose
teklif suggestion, idea
tekrar again
tekrar bakmak to look again
telaşla hastily, hurriedly
telefon çalmak (phone) to ring
telefona bakmak to answer the phone
telefonu açmak to answer the phone
telefonu kapatmak to hang up
telsiz (police) radio
temiz clean
temizlemek to clean
temizlik cleaning
tenha uninhabited, desolate
teras katı roof terrace; penthouse

tereyağı butter
terlemek to sweat
tesis facility, premises
teşekkür etmek to thank
tezgah kitchen counter
tıkanmak (traffic) to be jammed
tılsım magic, spell
tıraş olmak to shave; to have a haircut
tırmanmak to climb
ticaret merkezi trade centre
ticaret yolu trade route
tilki fox
titiz meticulous
titizlikle meticulously
toplamak to collect, to pick up, to gather
toplantı meeting
toplantı salonu meeting hall
toprak soil
torun grandchild
tren garı train station
trenin rotası train route
tuhaf strange
turist rehberi tourist guide
tutmak to catch
tüccar merchant
tüketmek to consume
tüm all, entire
tüplü dalış scuba diving
tüy feather

U Ü

uçuş güvenliği flight safety
ulaşmak to arrive
unutmak to forget
usta master
usulca slowly and softly
uyanık awake
uyanmak to wake up
uygarlık civilisation
uyku sleep
uyku tulumu sleeping bag
uyumak to sleep
uzanmak to lie down
uzatmak to hand out
uzman expert
uzun long, tall
uzun topuklu long heeled
uzunluk length
uzun süre for a long time
ülke country
üniversite university
ünlü famous
üretkenlik productivity
üretmek to produce, to manufacture
ürün product
üstelik moreover
üşümek to be/feel cold
ütü iron
ütü yapmak to iron
üzerinde on top of
üzülmek to become sad
Üzülmeyin. Don't worry.

V

vadi valley
vagon coach (of a train)
vahşi wild

vahşi atlar wild horses
vakit time
varmak to arrive
vazgeçmek to give up
vazo vase
ve and
ve ya or
vermek to give
volkan volcano

Y

yağ oil
yağmur rain
yağmur yağdırmak to make it rain
yağmur yağmak to rain
yakalamak to catch
yaklaşmak to come closer, to near
yaklaşık approximately
yakın close
yakından closely
yakınlarda in the vicinity, nearby
yakışmak to suit
yalnız alone
yalnız bırakmak to leave alone
yamaç slope, hillside
yanardağ volcano
yanılmak to be wrong
yanında near, beside
yapı structure
yapmak to do, to make
yaprak leaf
yaramaz naughty
yaramazlık naughtiness, mischief
yaratıcı creative
yardımcı olmak to help
yardım etmek to help
yardım help, assistance
yardım istemek to ask for help
yarı half
yarım kilo half a kilo
yarın tomorrow
yaslamak to lean, to prop against
yastık pillow
yaşam life
yaşamak to live
yaşamın izleri traces of life
yaşlı old
yataklı vagon sleeping car
yavaş slow
yavaş yavaş slowly
yavaşça slowly
yavru baby, young; young animal
yazar author, writer
yazmak to write
yaz summer
yaz tatili summer holiday
yazı writing; article
yemek food, meal, dish
yemek siparişi vermek to order food
yemek yemek to eat
yeniden again
yeni new
yeni model new model
yeni ürün new product
yer place, ground, floor
yeraltı underground
yere bırakmak to leave on the ground/floor
yere sermek to lay sb/sth flat

yerleştirmek to put, to place, to position
yeşil green
yetenek talent
yetenekli skilled, talented
yeterli enough, sufficient
yetişmek to catch (a bus, train, etc.)
yine again
yiyecek food
yiyecek ve içecek menüsü food and drinks menu
yoğun busy
yoksa otherwise
yok there isn't, ... doesn't exist
yol road
yol ayrımı crossroads
yola çıkmak to set off (on a journey)
yolculuk hazırlıkları travel preparations
yolculuk journey
yolcu passenger
yol masrafı travel expense
yorgun tired
yorucu tiring
yorulmak to get tired
yönelmek to turn towards
yöneticilik management, leadership
yönetme governing
yöresel yemek traditional dish
yudum sip
yukarı up, upper; upstairs
yukarıdan from an upper point; from upstairs
yumurta egg
yumurta kırmak to break eggs
yüksek high
yüksek lisans master's degree
yüksek sesle loud
yükselmek to go up, to ascend
yükseltmek to increase
yün wool
yün iplik wool yarn
yürümek to walk
yüz face; hundred
yüzmek to swim
yüzyıllarca for years
yüzük ring
yıldız star
yıl year
yılan snake

Z

zaman time
zarar loss; damage; injury, harm
zarar vermek to hurt, to damage
zevkle with joy, with pleasure
zeytin olive
zeytinyağı olive oil
zil bell
ziraat agriculture
ziraat mühendisliği agricultural engineering
zirve peak, to
ziyaret visit
ziyaret etmek to visit
zor difficult, hard
zorunlu mandatory